W9-AKU-547

Obras de Fernando Pessoa / 5

FERNANDO PESSOA

FICÇÕES
DO
INTERLÚDIO

1914-1935

edição
FERNANDO CABRAL MARTINS

2.ª EDIÇÃO

ASSÍRIO & ALVIM

© ASSÍRIO & ALVIM
RUA PASSOS MANUEL, 67 B, 1150-258 LISBOA

EDIÇÃO 0488
1.ª EDIÇÃO MAIO 1998 / 2.ª EDIÇÃO MARÇO 2012
ISBN 978-972-37-0474-7

NOTA PRÉVIA

Reúnem-se aqui todos os poemas em português publicados por Pessoa durante a sua vida – menos o livro *Mensagem*.

São agrupados pelos ortónimo e heterónimos, que surgem na sequência da sua publicação: Pessoa em 1914, Campos em 1915, Reis em 1924 e Caeiro em 1925. Sob cada um destes nomes, o critério de ordenação é também cronológico, escolhendo-se a última versão no caso dos poemas que se repetem.

Actualiza-se a ortografia sempre que se não altere a medida dos versos ou a representação fonológica das palavras, e corrigem-se as gralhas evidentes.

Fernando Pessoa

IMPRESSÕES DO CREPÚSCULO

I

Ó sino da minha aldeia,
Dolente na tarde calma,
Cada tua badalada
Soa dentro da minh'alma.

E é tão lento o teu soar,
Tão como triste da vida,
Que já a primeira pancada
Tem um som de repetida.

Por mais que me tanjas perto
Quando passo, sempre errante,
És para mim como um sonho –
Soas-me na alma distante...

A cada pancada tua,
Vibrante no céu aberto,
Sinto mais longe o passado,
Sinto a saudade mais perto.

II

Pauis de roçarem ânsias pela minh'alma em ouro...
Dobre longínquo de Outros Sinos... Empalidece o louro
Trigo na cinza do poente... Corre um frio carnal por minh'alma...
Tão sempre a mesma, a Hora!... Baloiçar de cimos de palma...
Silêncio que as folhas fitam em nós... Outono delgado
Dum canto de vaga ave... Azul esquecido em estagnado...
Oh que mudo grito de ânsia põe garras na Hora!
Que pasmo de mim anseia por outra cousa que o que chora!
Estendo as mãos para além, mas ao estendê-las já vejo
Que não é aquilo que quero aquilo que desejo...
Címbalos de Imperfeição... Ó tão antiguidade
A Hora expulsa de si-Tempo!... Onda de recuo que invade
O meu abandonar-me a mim próprio até desfalecer,
E recordar tanto o Eu presente que me sinto esquecer!...
Fluido de auréola, transparente de Foi, oco de ter-se...
O Mistério sabe-me a eu ser outro... Luar sobre o não conter-se...
A sentinela é hirta – a lança que finca no chão
É mais alta do que ela... Pra que é tudo isto?... Dia chão...
Trepadeiras de despropósito lambendo de Hora os Aléns...
Horizontes fechando os olhos ao espaço em que são elos de erro...
Fanfarras de ópios de silêncios futuros... Longes trens...
Portões vistos longe... através das árvores... tão de ferro!...

29-Março-1913.

CHUVA OBLÍQUA

POEMAS INTERSECCIONISTAS

I

Atravessa esta paisagem o meu sonho dum porto infinito
E a cor das flores é transparente de as velas de grandes navios
Que largam do cais arrastando nas águas por sombra
Os vultos ao sol daquelas árvores antigas...

O porto que sonho é sombrio e pálido
E esta paisagem é cheia de sol deste lado...
Mas no meu espírito o sol deste dia é porto sombrio
E os navios que saem do porto são estas árvores ao sol...

Liberto em duplo, abandonei-me da paisagem abaixo...
O vulto do cais é a estrada nítida e calma
Que se levanta e se ergue como um muro,
E os navios passam por dentro dos troncos das árvores
Com uma horizontalidade vertical,
E deixam cair amarras na água pelas folhas uma a uma dentro...

Não sei quem me sonho...
Súbito toda a água do mar do porto é transparente
E vejo no fundo, como uma estampa enorme que lá estivesse desdobrada,
Esta paisagem toda, renque de árvores, estrada a arder em aquele porto,
E a sombra duma nau mais antiga que o porto que passa

Entre o meu sonho do porto e o meu ver esta paisagem
E chega ao pé de mim, e entra por mim dentro,
E passa para o outro lado da minha alma…

II

Ilumina-se a igreja por dentro da chuva deste dia,
E cada vela que se acende é mais chuva a bater na vidraça…

Alegra-me ouvir a chuva porque ela é o templo estar aceso,
E as vidraças da igreja vistas de fora são o som da chuva ouvido por dentro…

O esplendor do altar-mor é o eu não poder quasi ver os montes
Através da chuva que é ouro tão solene na toalha do altar…
Soa o canto do coro, latino e vento a sacudir-me a vidraça
E sente-se chiar a água no facto de haver coro…

A missa é um automóvel que passa
Através dos fiéis que se ajoelham em hoje ser um dia triste…
Súbito vento sacode em esplendor maior
A festa da catedral e o ruído da chuva absorve tudo
Até só se ouvir a voz do padre água perder-se ao longe
Com o som de rodas de automóvel…

E apagam-se as luzes da igreja
Na chuva que cessa…

III

A Grande Esfinge do Egipto sonha por este papel dentro...
Escrevo – e ela aparece-me através da minha mão transparente
E ao canto do papel erguem-se as pirâmides...

Escrevo – perturbo-me de ver o bico da minha pena
Ser o perfil do rei Quéops...
De repente paro...
Escureceu tudo... Caio por um abismo feito de tempo...
Estou soterrado sob as pirâmides a escrever versos à luz clara deste candeeiro
E todo o Egipto me esmaga de alto através dos traços que faço com a
                                                            pena...

Ouço a Esfinge rir por dentro
O som da minha pena a correr no papel...
Atravessa o eu não poder vê-la uma mão enorme,
Varre tudo para o canto do tecto que fica por detrás de mim,
E sobre o papel onde escrevo, entre ele e a pena que escreve
Jaz o cadáver do rei Keops, olhando-me com olhos muito abertos,
E entre os nossos olhares que se cruzam corre o Nilo
E uma alegria de barcos embandeirados erra
Numa diagonal difusa
Entre mim e o que eu penso...

Funerais do rei Quéops em ouro velho e Mim!...

IV

Que pandeiretas o silêncio deste quarto!...
As paredes estão na Andaluzia...
Há danças sensuais no brilho fixo da luz...

De repente todo o espaço pára...,
Pára, escorrega, desembrulha-se...,
E num canto do tecto, muito mais longe do que ele está,
Abrem mãos brancas janelas secretas
E há ramos de violetas caindo
De haver uma noite de primavera lá fora
Sobre o eu estar de olhos fechados...

V

Lá fora vai um redemoinho de sol os cavalos do carroussel...
Árvores, pedras, montes, bailam parados dentro de mim...
Noite absoluta na feira iluminada, luar no dia de sol lá fora,
E as luzes todas da feira fazem ruído dos muros do quintal...
Ranchos de raparigas de bilha à cabeça
Que passam lá fora, cheias de estar sob o sol,
Cruzam-se com grandes grupos peganhentos de gente que anda na feira,
Gente toda misturada com as luzes das barracas, com a noite e com o luar,
E os dois grupos encontram-se e penetram-se
Até formarem só um que é os dois...
A feira e as luzes da feira e a gente que anda na feira,
E a noite que pega na feira e a levanta no ar,
Andam por cima das copas das árvores cheias de sol,

Andam visivelmente por baixo dos penedos que luzem ao sol,
Aparecem do outro lado das bilhas que as raparigas levam à cabeça,
E toda esta paisagem de primavera é a lua sobre a feira,
E toda a feira com ruídos e luzes é o chão deste dia de sol...

De repente alguém sacode esta hora dupla como numa peneira
E, misturado, o pó das duas realidades cai
Sobre as minhas mãos cheias de desenhos de portos
Com grandes naus que se vão e não pensam em voltar...
Pó de ouro branco e negro sobre os meus dedos...
As minhas mãos são os passos daquela rapariga que abandona a feira,
Sozinha e contente como o dia de hoje...

VI

O maestro sacode a batuta,
E lânguida e triste a música rompe...
Lembra-me a minha infância, aquele dia
Em que eu brincava ao pé dum muro de quintal
Atirando-lhe com uma bola que tinha dum lado
O deslizar dum cão verde, e do outro lado
Um cavalo azul a correr com um jockey amarelo...

Prossegue a música, e eis na minha infância
De repente entre mim e o maestro, muro branco,
Vai e vem a bola, ora um cão verde,
Ora um cavalo azul com um jockey amarelo...

Todo o teatro é o meu quintal, a minha infância
Está em todos os lugares, e a bola vem a tocar música

Uma música triste e vaga que passeia no meu quintal
Vestida de cão verde tornando-se jockey amarelo…
(Tão rápida gira a bola entre mim e os músicos…)

Atiro-a de encontro à minha infância e ela
Atravessa o teatro todo que está aos meus pés
A brincar com um jockey amarelo e um cão verde
E um cavalo azul que aparece por cima do muro
Do meu quintal… E a música atira com bolas
À minha infância… E o muro do quintal é feito de gestos
De batuta e rotações confusas de cães verdes
E cavalos azuis e jockeys amarelos…

Todo o teatro é um muro branco de música
Por onde um cão verde corre atrás da minha saudade
Da minha infância, cavalo azul com um jockey amarelo…

E dum lado para o outro, da direita para a esquerda,
Donde há árvores e entre os ramos ao pé da copa
Com orquestras a tocar música,
Para onde há filas de bolas na loja onde a comprei
E o homem da loja sorri entre as memórias da minha infância…

E a música cessa como um muro que desaba,
A bola rola pelo despenhadeiro dos meus sonhos interrompidos,
E do alto dum cavalo azul, o maestro, jockey amarelo tornando-se preto,
Agradece, pousando a batuta em cima da fuga dum muro,
E curva-se, sorrindo, com uma bola branca em cima da cabeça,
Bola branca que lhe desaparece pelas costas abaixo…

8 de Março de 1914.

HORA ABSURDA

O teu silêncio é uma nau com todas as velas pandas...
Brandas, as brisas brincam nas flâmulas, teu sorriso...
E o teu sorriso no teu silêncio é as escadas e as andas
Com que me finjo mais alto e ao pé de qualquer paraíso...

Meu coração é uma ânfora que cai e que se parte...
O teu silêncio recolhe-o e guarda-o, partido, a um canto...
Minha ideia de ti é um cadáver que o mar traz à praia..., e entanto
Tu és a tela irreal em que erro em cor a minha arte...

Abre todas as portas e que o vento varra a ideia
Que temos de que um fumo perfuma de ócio os salões...
Minha alma é uma caverna enchida pla maré cheia,
E a minha ideia de te sonhar uma caravana de histriões...

Chove ouro baço, mas não no lá-fora... É em mim... Sou a Hora,
E a Hora é de assombros e toda ela escombros dela...
Na minha atenção há uma viúva pobre que nunca chora...
No meu céu interior nunca houve uma única estrela...

Hoje o céu é pesado como a ideia de nunca chegar a um porto...
A chuva miúda é vazia... A Hora sabe a ter sido...
Não haver qualquer cousa como leitos para as naus!... Absorto
Em se alhear de si, teu olhar é uma praga sem sentido...

Todas as minhas horas são feitas de jaspe negro,
Minhas ânsias todas talhadas num mármore que não há,
Não é alegria nem dor esta dor com que me alegro,
E a minha bondade inversa não é nem boa nem má...

Os feixes dos lictores abriram-se à beira dos caminhos...
Os pendões das vitórias medievais nem chegaram às cruzadas...
Puseram in-fólios úteis entre as pedras das barricadas...
E a erva cresceu nas vias-férreas com viços daninhos...

Ah, como esta hora é velha!... E todas as naus partiram!...
Na praia só um cabo morto e uns restos de vela falam
Do Longe, das horas do Sul, de onde os nossos sonhos tiram
Aquela angústia de sonhar mais que até para si calam...

O palácio está em ruínas... Dói ver no parque o abandono
Da fonte sem repuxo... Ninguém ergue o olhar da estrada
E sente saudades de si ante aquele lugar-outono...
Esta paisagem é um manuscrito com a frase mais bela cortada...

A doida partiu todos os candelabros glabros,
Sujou de humano o lago com cartas rasgadas, muitas...
E a minha alma é aquela luz que não mais haverá nos candelabros...
E que querem ao lado aziago minhas ânsias, brisas fortuitas?...

Porque me aflijo e me enfermo?... Deitam-se nuas ao luar
Todas as ninfas... Veio o sol e já tinham partido...
O teu silêncio que me embala é a ideia de naufragar,
E a ideia de a tua voz soar a lira dum Apolo fingido...

Já não há caudas de pavões todas olhos nos jardins de outrora...
As próprias sombras estão mais tristes... Ainda
Há rastos de vestes de aias (parece) no chão, e ainda chora
Um como que eco de passos pela alameda que eis finda...

Todos os ocasos fundiram-se na minha alma...
As relvas de todos os prados foram frescas sob meus pés frios...
Secou em teu olhar a ideia de te julgares calma,
E eu ver isso em ti é um porto sem navios...

Ergueram-se a um tempo todos os remos... Pelo ouro das searas
Passou uma saudade de não serem o mar... Em frente
Ao meu trono de alheamento há gestos com pedras raras...
Minha alma é uma lâmpada que se apagou e ainda está quente...

Ah, e o teu silêncio é um perfil de píncaro ao sol!
Todas as princesas sentirem o seio oprimido...
Da última janela do castelo só um girassol
Se vê, e o sonhar que há outros põe brumas no nosso sentido...

Sermos, e não sermos mais!... Ó leões nascidos na jaula!...
Repique de sinos para além, no Outro Vale... Perto?...
Arde o colégio e uma criança ficou fechada na aula...
Porque não há-de ser o Norte o Sul?... O que está descoberto?...

E eu deliro... De repente pauso no que penso... Fito-te
E o teu silêncio é uma cegueira minha... Fito-te e sonho...
Há coisas rubras e cobras no modo como medito-te,
E a tua ideia sabe à lembrança de um sabor medonho...

Para que não ter por ti desprezo? Porque não perdê-lo?...
Ah, deixa que eu te ignore... O teu silêncio é um leque –
Um leque fechado, um leque que aberto seria tão belo, tão belo,
Mas mais belo é não o abrir, para que a Hora não peque...

Gelaram todas as mãos cruzadas sobre todos os peitos...
Murcharam mais flores do que as que havia no jardim...
O meu amar-te é uma catedral de silêncios eleitos,
E os meus sonhos uma escada sem princípio mas com fim...

Alguém vai entrar pela porta... Sente-se o ar sorrir...
Tecedeiras viúvas gozam as mortalhas de virgens que tecem...
Ah, o teu tédio é uma estátua de uma mulher que há-de vir,
O perfume que os crisântemos teriam, se o tivessem...

É preciso destruir o propósito de todas as pontes,
Vestir de alheamento as paisagens de todas as terras,
Endireitar à força a curva dos horizontes,
E gemer por ter de viver, como um ruído brusco de serras...

Há tão pouca gente que ame as paisagens que não existem!...
Saber que continuará a haver o mesmo mundo amanhã – como nos
                                               desalegra!...
Que o meu ouvir o teu silêncio não seja nuvens que atristem
O teu sorriso, anjo exilado, e o teu tédio, auréola negra...

Suave, como ter mãe e irmãs, a tarde rica desce...
Não chove já, e o vasto céu é um grande sorriso imperfeito...
A minha consciência de ter consciência de ti é uma prece,
E o meu saber-te a sorrir é uma flor murcha a meu peito...

Ah, se fôssemos duas figuras num longínquo vitral!...
Ah, se fôssemos as duas cores de uma bandeira de glória!...
Estátua acéfala posta a um canto, poeirenta pia baptismal,
Pendão de vencidos tendo escrito ao centro este lema – *Vitória!*

O que é que me tortura?... Se até a tua face calma
Só me enche de tédios e de ópios de ócios medonhos!...
Não sei... Eu sou um doido que estranha a sua própria alma...
Eu fui amado em efígie num país para além dos sonhos...

Lisboa, 4 de Julho de 1913.

PASSOS DA CRUZ

I

Esqueço-me das horas transviadas...
O outono mora mágoas nos outeiros
E põe um roxo vago nos ribeiros...
Hóstia de assombro a alma, e toda estradas...

Aconteceu-me esta paisagem, fadas
De sepulcros a orgíaco... Trigueiros
Os céus da tua face, e os derradeiros
Tons do poente segredam nas arcadas...

No claustro sequestrando a lucidez
Um espasmo apagado em ódio à ânsia
Põe dias de ilhas vistas do convés

No meu cansaço perdido entre os gelos,
E a cor do outono é um funeral de apelos
Pela estrada da minha dissonância...

II

Há um poeta em mim que Deus me disse...
A primavera esquece nos barrancos

As grinaldas que trouxe dos arrancos
Da sua efémera e espectral ledice...

Pelo prado orvalhado a meninice
Faz soar a alegria os seus tamancos...
Pobre de anseios teu ficar nos bancos
Olhando a hora como quem sorrisse...

Florir do dia a capitéis de Luz...
Violinos do silêncio enternecidos...
Tédio onde o só ter tédio nos seduz...

Minha alma beija o quadro que pintou...
Sento-me ao pé dos séculos perdidos
E cismo o seu perfil de inércia e voo...

III

Adagas cujas jóias velhas galas...
Opalesci amar-me entre mãos raras,
E, fluido a febres entre um lembrar de aras,
O convés sem ninguém cheio de malas...

O íntimo silêncio das opalas
Conduz orientes até jóias caras,
E o meu anseio vai nas rotas claras
De um grande sonho cheio de ócio e salas...

Passa o cortejo imperial, e ao longe
O povo só pelo cessar das lanças
Sabe que passa o seu tirano, e estruge

Sua ovação, e erguem as crianças…
Mas no teclado as tuas mãos pararam
E indefinidamente repousaram…

IV

Ó tocadora de harpa, se eu beijasse
Teu gesto, sem beijar as tuas mãos!,
E, beijando-o, descesse plos desvãos
Do sonho, até que enfim eu o encontrasse

Tornado Puro Gesto, gesto-face
Da medalha sinistra – reis cristãos
Ajoelhando, inimigos e irmãos,
Quando processional o andor passasse!…

Teu gesto que arrepanha e se extasia…
O teu gesto completo, lua fria
Subindo, e em baixo, negros, os juncais…

Caverna em estalactites o teu gesto…
Não poder eu prendê-lo, fazer mais
Que vê-lo e que perdê-lo!… E o sonho é o resto…

V

Ténue, roçando sedas pelas horas,
Teu vulto ciciante passa e esquece,
E dia a dia adias para prece
O rito cujo ritmo só decoras...

Um mar longínquo e próximo humedece
Teus lábios onde, mais que em ti, descoras...
E, alada, leve, sobre a dor que choras,
Sem qu'rer saber de ti a tarde desce...

Erra no ante-luar a voz dos tanques...
Na quinta imensa gorgolejam águas,
Na treva vaga ao meu ter dor estanques...

Meu império é das horas desiguais,
E dei meu gesto lasso às algas mágoas
Que há para além de sermos outonais...

VI

Venho de longe e trago no perfil,
Em forma nevoenta e afastada,
O perfil de outro ser que desagrada
Ao meu actual recorte humano e vil.

Outrora fui talvez, não Boabdil,
Mas o seu mero último olhar, da estrada

Dado ao deixado vulto de Granada,
Recorte frio sob o unido anil...

Hoje sou a saudade imperial
Do que já na distância de mim vi...
Eu próprio sou aquilo que perdi...

E nesta estrada para Desigual
Florem em esguia glória marginal
Os girassóis do império que morri...

VII

Fosse eu apenas, não sei onde ou como,
Uma cousa existente sem viver,
Noite de Vida sem amanhecer
Entre as sirtes do meu dourado assomo...

Fada maliciosa ou incerto gnomo
Fadado houvesse de não pertencer
Meu intuito gloríola com ter
A árvore do meu uso o único pomo...

Fosse eu uma metáfora somente
Escrita nalgum livro insubsistente
Dum poeta antigo, de alma em outras gamas,

Mas doente, e, num crepúsculo de espadas,
Morrendo entre bandeiras desfraldadas
Na última tarde de um império em chamas...

VIII

Ignorado ficasse o meu destino
Entre pálios (e a ponte sempre à vista),
E anel concluso a chispas de ametista
A frase falha do meu póstumo hino...

Florescesse em meu glabro desatino
O himeneu das escadas da conquista
Cuja preguiça, arrecadada, dista
Almas do meu impulso cristalino...

Meus ócios ricos assim fossem, vilas
Pelo campo romano, e a toga traça
No meu soslaio anónimas (desgraça

A vida) curvas sob mãos intranquilas...
E tudo sem Cleópatra teria
Findado perto de onde raia o dia...

IX

Meu coração é um pórtico partido
Dando excessivamente sobre o mar.
Vejo em minha alma as velas vãs passar
E cada vela passa num sentido.

Um soslaio de sombras e ruído
Na transparente solidão do ar

27

Evoca estrelas sobre a noite estar
Em afastados céus o pórtico ido...

E em palmares de Antilhas entrevistas
Através de, com mãos eis apartados
Os sonhos, cortinados de ametistas,

Imperfeito o sabor de compensando
O grande espaço entre os troféus alçados
Ao centro do triunfo em ruído e bando...

X

Aconteceu-me do alto do infinito
Esta vida. Através de nevoeiros,
Do meu próprio ermo ser fumos primeiros,
Vim ganhando, e através estranhos ritos

De sombra e luz ocasional, e gritos
Vagos ao longe, e assomos passageiros
De saudade incógnita, luzeiros
De divino, este ser fosco e proscrito...

Caiu chuva em passados que fui eu.
Houve planícies de céu baixo e neve
Nalguma cousa de alma do que é meu.

Narrei-me à sombra e não me achei sentido.
Hoje sei-me o deserto onde Deus teve
Outrora a sua capital de olvido...

XI

Não sou eu quem descrevo. Eu sou a tela
E oculta mão colora alguém em mim.
Pus a alma no nexo de perdê-la
E o meu princípio floresceu em Fim.

Que importa o tédio que dentro em mim gela,
E o leve outono, e as galas, e o marfim,
E a congruência da alma que se vela
Com os sonhados pálios de cetim?

Disperso… E a hora como um leque fecha-se…
Minha alma é um arco tendo ao fundo o mar…
O tédio? A mágoa? A vida? O sonho? Deixa-se…

E, abrindo as asas sobre Renovar,
A erma sombra do voo começado
Pestaneja no campo abandonado…

XII

Ela ia, tranquila pastorinha,
Pela estrada da minha imperfeição.
Seguia-a, como um gesto de perdão,
O seu rebanho, a saudade minha…

«Em longes terras hás-de ser rainha»
Um dia lhe disseram, mas em vão…

Seu vulto perde-se na escuridão...
Só sua sombra ante meus pés caminha...

Deus te dê lírios em vez desta hora,
E em terras longe do que eu hoje sinto
Serás, rainha não, mas só pastora –

Só sempre a mesma pastorinha a ir,
E eu serei teu regresso, esse indistinto
Abismo entre o meu sonho e o meu porvir...

XIII

Emissário de um rei desconhecido,
Eu cumpro informes instruções de além,
E as bruscas frases que aos meus lábios vêm
Soam-me a um outro e anómalo sentido...

Inconscientemente me divido
Entre mim e a missão que o meu ser tem,
E a glória do meu Rei dá-me o desdém
Por este humano povo entre quem lido...

Não sei se existe o Rei que me mandou,
Minha missão será eu a esquecer,
Meu orgulho o deserto em que em mim estou...

Mas há! eu sinto-me altas tradições
De antes de tempo e espaço e vida e ser...
Já viram Deus as minhas sensações...

XIV

Como uma voz de fonte que cessasse
(E uns para os outros nossos vãos olhares
Se admiraram), pra além dos meus palmares
De sonho, a voz que do meu tédio nasce

Parou… Apareceu já sem disfarce
De música longínqua, asas nos ares,
O mistério silente como os mares,
Quando morreu o vento e a calma pasce…

A paisagem longínqua só existe
Para haver nela um silêncio em descida
Pra o mistério, silêncio a que a hora assiste…

E, perto ou longe, grande lago mudo,
O mundo, o informe mundo onde há a vida…
E Deus, a Grande Ogiva ao fim de tudo…

A CASA BRANCA NAU PRETA

Estou reclinado na poltrona, é tarde, o verão apagou-se...
Nem sonho, nem cismo, um torpor alastra em meu cérebro...
Não existe amanhã para o meu torpor nesta hora...
Ontem foi um mau sonho que alguém teve por mim...
Há uma interrupção lateral na minha consciência...
Continuam encostadas as portas da janela desta tarde
Apesar de as janelas estarem abertas de par em par...
Sigo sem atenção as minhas sensações sem nexo
E a personalidade que tenho está entre o corpo e a alma...

Quem dera que houvesse
Um estado não perfeitamente interior para a alma,
Um objectivismo com guizos imóveis à roda de em mim...
A impossibilidade de tudo quanto eu não chego a sonhar
Dói-me por detrás das costas da minha consciência de sentir...

As naus seguiram,
Seguiram viagem não sei em que dia escondido,
E a rota que deviam seguir estava escrita nos ritmos,
Nos ritmos perdidos das canções mortas dos marinheiros de sonho.

Árvores paradas da quinta, vistas através da janela,
Árvores estranhas a mim a um ponto inconcebível à consciência de as estar
                                                                    vendo,
Árvores iguais todas a não serem mais que eu vê-las,

Não poder eu fazer qualquer cousa género haver árvores que deixasse de doer,
Não poder eu coexistir para o lado de lá com estar-vos vendo do lado de cá,
E poder levantar-me desta poltrona deixando os sonhos no chão...

Que sonhos?... Eu não sei se sonhei... Que naus partiram? para onde?...
Tive essa impressão sem nexo porque no quadro fronteiro
Naus partem... Naus, não: barcos, mas as naus estão em mim,
E é sempre melhor o impreciso que embala do que o certo que basta,
Porque o que basta acaba onde basta, e onde acaba não basta,
E nada que se pareça com isso devia ser o sentido da vida...

Quem pôs as formas das árvores dentro da existência das árvores?
Quem deu frondoso a arvoredos e me deixou por verdecer?
Onde tenho o meu pensamento, que me dói estar sem ele,
Sentir sem auxílio de poder parar quando quiser, e o mar alto
E a última viagem, sempre para lá, das naus a subir...

Não há substância de pensamento na matéria de alma com que penso...
Há só janelas abertas de par em par encostadas por causa do calor que
já não faz,
E o quintal cheio de luz sem luz agora ainda-agora, e quási eu...

Na vidraça aberta, fronteira ao ângulo com que o meu olhar a colhe
A casa branca distante onde mora... (O morador é abstracto.)
Fecho o olhar e os meus olhos fitos na casa branca sem a ver
São outros olhos vendo sem estar fitos nela a nau que se afasta,
E eu parado, mole, adormecido,
Tenho pela vista o tacto do mar lá em baixo embalando-me longe de aqui,
Tenho-o na inconsciência e sofro...

Aos próprios palácios distantes a nau que penso não leva.
Às escadas dando sobre o mar inatingível ela não alberga.
Aos jardins maravilhosos nas ilhas inexplícitas não deixa.
Tudo perde o sentido com que o abrigo em meu pórtico
E o mar entra por os Teus olhos o pórtico cessando...

Caia a noite, não caia a noite, só importa a candeia
Por acender nas casas que não vejo na encosta e eu lá...
Húmida sombra nos sons do tanque nocturno sem lua, as rãs rangem,
Coaxar tarde no vale, porque tudo é vale onde o som dói...

Milagre do aparecimento da Senhora das Angústias aos loucos...
Maravilha do enegrecimento do punhal tirado para os actos...
Os olhos fechados, a cabeça pendida contra a coluna certa
E o mundo para além dos vitrais paisagem sem ruínas...

A casa branca nau preta...

Felicidade na Austrália...

11 de Outubro de 1916.

ALÉM-DEUS

I

ABISMO

Olho o Tejo, e de tal arte
Que me esquece olhar olhando,
E súbito isto me bate
De encontro ao devaneando –
O que é ser-rio e correr?
O que é está-lo eu a ver?

Sinto de repente pouco,
Vácuo, o momento, o lugar.
Tudo de repente é oco –
Mesmo o meu estar a pensar.
Tudo – eu e o mundo em redor –
Fica mais que exterior.

Perde tudo o ser, ficar,
E do pensar se me some.
Fico sem poder ligar
Ser, ideia, alma de nome
A mim, à terra e aos céus…

E súbito encontro Deus.

II
PASSOU

Passou, fora de Quando,
De Porquê, e de Passando...,

Turbilhão de Ignorado,
Sem ter turbilhonado...,

Vasto por fora do Vasto
Sem ser, que a si se assombra...

O universo é o seu rasto...
Deus é a sua sombra...

III
A VOZ DE DEUS

Brilha uma voz na noute...
De dentro de Fora ouvi-a...
Ó Universo, eu sou-te...
Oh, o horror da alegria
Deste pavor, do archote
Se apagar, que me guia!

Cinzas de ideia e de nome
Em mim, e a voz: *Ó mundo,*
Sermente em ti eu sou-me...
Mero eco de mim, me inundo

De ondas de negro lume
Em que pra Deus me afundo.

IV

A QUEDA

Da minha ideia do mundo
       Caí.
Vácuo além de profundo,
Sem ter Eu nem Ali…

Vácuo sem si-próprio, caos
De ser pensado como ser…
Escada absoluta sem degraus…
Visão que se não pode ver…

Além-Deus! Além-Deus! Negra calma…
Clarão de Desconhecido…
Tudo tem outro sentido, ó alma,
Mesmo o ter-um-sentido…

V

BRAÇO SEM CORPO BRANDINDO UM GLÁDIO

Entre a árvore e o vê-la
Onde está o sonho?
Que arco da ponte mais vela
Deus?… E eu fico tristonho

Por não saber se a curva da ponte
É a curva do horizonte...

Entre o que vive e a vida
Pra que lado corre o rio?
Árvore de folhas vestida –
Entre isso e Árvore há fio?
Pombas voando – o pombal
Está-lhes sempre à direita, ou é real?

Deus é um grande Intervalo,
Mas entre quê e quê?...
Entre o que digo e o que calo
Existo? Quem é que me vê?
Erro-me... E o pombal elevado
Está em torno da pomba, ou de lado?

EPISÓDIOS

A MÚMIA

I

Andei léguas de sombra
Dentro em meu pensamento.
Floresceu às avessas
Meu ócio com sem-nexo,
E apagaram-se as lâmpadas
Na alcova cambaleante.

Tudo prestes se volve
Um desejo macio
Visto pelo meu tacto
Dos veludos da alcova,
Não pela minha vista.

Há um oásis no Incerto
E, como uma suspeita
De luz por não-há-frinchas,
Passa uma caravana.

Esquece-me de súbito
Como é o espaço, e o tempo

Em vez de horizontal
É vertical.

    A alcova
Desce não sei por onde
Até não me encontrar.
Ascende um leve fumo
Das minhas sensações.
Deixo de me incluir
Dentro de mim. Não há
Cá-dentro nem lá-fora.

E o deserto está agora
Virado para baixo.

A noção de mover-me
Esqueceu-se do meu nome.

Na alma meu corpo pesa-me.
Sinto-me um reposteiro
Pendurado na sala
Onde jaz alguém morto.

Qualquer cousa caiu
E tiniu no infinito.

II

Na sombra Cleópatra jaz morta.
Chove.

Embandeiraram o barco de maneira errada.
Chove sempre.

Para que olhas tu a cidade longínqua?
Tua alma é a cidade longínqua.
Chove friamente.

E quanto à mãe que embala ao colo um filho morto –
Todos nós embalamos ao colo um filho morto.
Chove, chove.

O sorriso triste que sobra a teus lábios cansados,
Vejo-o no gesto com que os teus dedos não deixam os teus anéis.
Porque é que chove?

III

De quem é o olhar
Que espreita por meus olhos?
Quando penso que vejo,
Quem continua vendo
Enquanto estou pensando?
Por que caminhos seguem,
Não os meus tristes passos,
Mas a realidade
De eu ter passos comigo?

Às vezes, na penumbra
Do meu quarto, quando eu

Para mim próprio mesmo
Em alma mal existo,
Toma um outro sentido
Em mim o Universo –
É uma nódoa esbatida
De eu ser consciente sobre
Minha ideia das cousas.

Se acenderem as velas
E não houver apenas
A vaga luz de fora –
Não sei que candeeiro
Aceso onde na rua –
Terei foscos desejos
De nunca haver mais nada
No Universo e na Vida
De que o obscuro momento
Que é minha vida agora:

Um momento afluente
Dum rio sempre a ir
Esquecer-se de ser,
Espaço misterioso
Entre espaços desertos
Cujo sentido é nulo
E sem ser nada a nada.

E assim a hora passa
Metafisicamente.

IV

As minhas ansiedades caem
Por uma escada abaixo.
Os meus desejos balouçam-se
Em meio de um jardim vertical.

Na Múmia a posição é absolutamente exacta.

Música longínqua,
Música excessivamente longínqua,
Para que a Vida passe
E colher esqueça aos gestos.

V

Porque abrem as cousas alas para eu passar?
Tenho medo de passar entre elas, tão paradas conscientes.
Tenho medo de as deixar atrás de mim a tirarem a Máscara.
Mas há sempre cousas atrás de mim.
Sinto a sua ausência de olhos fitar-me, e estremeço.

Sem se mexerem, as paredes vibram-me sentido.
Falam comigo sem voz de dizerem-me as cadeiras.
Os desenhos do pano da mesa têm vida, cada um é um abismo.
Luze a sorrir com visíveis lábios invisíveis
A porta abrindo-se conscientemente
Sem que a mão seja mais que o caminho para abrir-se.

De onde é que estão olhando para mim?
Que cousas incapazes de olhar estão olhando para mim?
Quem espreita de tudo?

As arestas fitam-me.
Sorriem realmente as paredes lisas.

Sensação de ser só a minha espinha.

As espadas.

FICÇÕES DO INTERLÚDIO

I
PLENILÚNIO

As horas pela alameda
Arrastam vestes de seda,

Vestes de seda sonhada
Pela alameda alongada

Sob o azular do luar...
E ouve-se no ar a expirar –

A expirar mas nunca expira –
Uma flauta que delira,

Que é mais a ideia de ouvi-la
Que ouvi-la quasi tranquila

Pelo ar a ondear e a ir...

Silêncio a tremeluzir...

II
SAUDADE DADA

Em horas inda louras, lindas
Clorindas e Belindas, brandas,
Brincam no tempo das berlindas,
As vindas vendo das varandas.
De onde ouvem vir a rir as vindas
Fitam a fio as frias bandas.

Mas em torno à tarde se entorna
A atordoar o ar que arde
Que a eterna tarde já não torna!
E em tom de atoarda todo o alarde
Do adornado ardor transtorna
No ar de torpor da tarda tarde.

E há nevoentos desencantos
Dos encantos dos pensamentos
Nos santos lentos dos recantos
Dos bentos cantos dos conventos...
Prantos de intentos, lentos, tantos
Que encantam os atentos ventos.

III
Pierrot bêbado

Nas ruas da feira,
Da feira deserta,
Só a lua cheia
Branqueia e clareia
As ruas da feira
Na noite entreaberta.

Só a lua alva
Branqueia e clareia
A paisagem calva
De abandono e alva
Alegria alheia.

Bêbada branqueia
Como pela areia
Nas ruas da feira,
Da feira deserta,
Na noite já cheia
De sombra entreaberta.

A lua baqueia
Nas ruas da feira
Deserta e incerta…

IV
MINUETE INVISÍVEL

Elas são vaporosas,
Pálidas sombras, as rosas
Nadas da hora lunar...

Vêm, aéreas, dançar
Como perfumes soltos
Entre os canteiros e os buxos...
Chora no som dos repuxos
O ritmo que há nos seus vultos...

Passam e agitam a brisa...
Pálida, a pompa indecisa
Da sua flébil demora
Paira em auréola à hora...

Passam nos ritmos da sombra...
Ora é uma folha que tomba,
Ora uma brisa que treme
Sua leveza solene...

E assim vão indo, delindo
Seu perfil único e lindo,
Seu vulto feito de todas,
Nas alamedas, em rodas
No jardim lívido e frio...

Passam sozinhas, a fio,
Como um fumo indo, a rarear,
Pelo ar longínquo e vazio,
Sob o, disperso pelo ar,
Pálido pálio lunar...

V

HIEMAL

Baladas de uma outra terra, aliadas
Às saudades das fadas, amadas por gnomos idos,
Retinem lívidas ainda aos ouvidos
Dos luares das altas noites aladas...
Pelos canais barcas erradas
Segredam-se rumos descridos...

E tresloucadas ou casadas com o som das baladas,
As fadas são belas, e as estrelas
São delas... Ei-las alheadas...

E são fumos os rumos das barcas sonhadas,
Nos canais fatais iguais de erradas,
As barcas parcas das fadas,
Das fadas aladas e hiemais
E caladas...

Toadas afastadas, irreais, de baladas...
Ais...

ABDICAÇÃO

Toma-me, ó noite eterna, nos teus braços
E chama-me teu filho.
                              Eu sou um rei
Que voluntariamente abandonei
O meu trono de sonhos e cansaços.

Minha espada, pesada a braços lassos,
Em mãos viris e calmas entreguei;
E meu ceptro e coroa, – eu os deixei
Na antecâmara, feitos em pedaços.

Minha cota de malha, tão inútil,
Minhas esporas, de um tinir tão fútil,
Deixei-as pela fria escadaria.

Despi a realeza, corpo e alma,
E regressei à noite antiga e calma
Como a paisagem ao morrer do dia.

À MEMÓRIA DO PRESIDENTE-REI
SIDÓNIO PAIS

Longe da fama e das espadas,
Alheio às turbas ele dorme.
Em torno há claustros ou arcadas?
Só a noite enorme.

Porque para ele, já virado
Para o lado onde está só Deus,
São mais que Sombra e que Passado
A terra e os céus.

Ali o gesto, a astúcia, a lida,
São já para ele, sem as ver,
Vácuo de acção, sombra perdida,
Sopro sem ser.

Só com sua alma e com a treva,
A alma gentil que nos amou
Inda esse amor e ardor conserva?
Tudo acabou?

No mistério onde a Morte some
Aquilo a que a alma chama a vida,
Que resta dele a nós – só o nome
E a fé perdida?

Se Deus o havia de levar,
Para que foi que no-lo trouxe –
Cavaleiro leal, do olhar
Altivo e doce?

Soldado-rei que oculta sorte
Como em braços da Pátria ergueu,
E passou como o vento norte
Sob o ermo céu.

Mas a alma acesa não aceita
Essa morte absoluta, o nada
De quem foi Pátria, e fé eleita,
E ungida espada.

Se o amor crê que a Morte mente
Quando a quem quer leva de novo,
Quão mais crê o Rei ainda existente
O amor de um povo!

Quem ele foi sabe-o a Sorte,
Sabe-o o Mistério e a sua lei.
A Vida fê-lo herói, e a Morte
O sagrou Rei!

Não é com fé que nós não cremos
Que ele não morra inteiramente.
Ah, sobrevive! Inda o teremos
Em nossa frente.

No oculto para o nosso olhar,
No visível à nossa alma,
Inda sorri com o antigo ar
De força calma.

Ainda de longe nos anima,
Inda na alma nos conduz –
Gládio de fé erguido acima
Da nossa cruz!

Nada sabemos do que oculta
O véu igual de noite e dia.
Mesmo ante a Morte a Fé exulta:
Chora e confia.

Apraz ao que em nós quer que seja
Qual Deus quis nosso querer tosco,
Crer que ele vela, benfazeja
Sombra connosco.

Não sai da alma nossa a fé
De que, alhures que o mundo e o fado,
Ele inda pensa em nós e é
O bem-amado.

Tenhamos fé, porque ele foi.
Deus não quer mal a quem o deu.
Não passa como o vento o herói
Sob o ermo céu.

E amanhã, quando queira a Sorte,
Quando findar a expiação,

Ressurrecto da falsa morte,
Ele já não,

Mas a ânsia nossa que encarnara,
A alma de nós de que foi braço,
Tornará, nova forma clara,
Ao tempo e ao espaço.

Tornará feito qualquer outro,
Qualquer cousa de nós com ele;
Porque o nome do herói morto
Inda compele;

Inda comanda, a armada ida
Para os campos da Redenção.
Às vezes leva à frente, erguida
'Spada, a Ilusão.

E um raio só do ardente amor,
Que emana só do nome seu,
Dê sangue a um braço vingador,
Se esmoreceu.

Com mais armas que com Verdade
Combate a alma por quem ama.
É lenha só a Realidade:
A fé é a chama.

Mas ai, que a fé já não tem forma
Na matéria e na cor da Vida,
E, pensada, em dor se transforma
A fé perdida!

P'ra que deu Deus a confiança
A quem não ia dar o bem?
Morgado da nossa esperança,
A Morte o tem!

Mas basta o nome e basta a glória
Para ele estar connosco, e ser
Carnal presença de memória
A amanhecer;

'Spectro real feito de nós,
Da nossa saudade e ânsia,
Que fala com oculta voz
Na alma, a distância;

E a nossa própria dor se torna
Uma vaga ânsia, um 'sperar vago,
Como a erma brisa que transtorna
Um ermo lago.

Não mente a alma ao coração.
Se Deus o deu, Deus nos amou.
Porque ele pode ser, Deus não
Nos desprezou.

Rei-nato, a sua realeza,
Por não podê-la herdar dos seus
Avós, com mística inteireza
A herdou de Deus;

E, por directa consonância
Com a divina intervenção,
Uma hora ergueu-nos alta a ânsia
De salvação.

Toldou-o a Sorte que o trouxera
Outra vez com nocturno véu.
Deus p'ra que no-lo deu, se era
P'ra o tornar seu?

Ah, tenhamos mais fé que a esp'rança!
Mais vivo que nós somos, fita
Do Abismo onde não há mudança
A terra aflita.

E se assim é; se, desde o Assombro
Aonde a Morte as vidas leva,
Vê esta pátria, escombro a escombro,
Cair na treva;

Se algum poder do que tivera
Sua alma, que não vemos, tem,
De longe ou perto – porque espera?
Porque não vem?

Em nova forma ou novo alento,
Que alheio pulso ou alma tome,
Regresse como um pensamento,
Alma de um nome!

Regresse sem que a gente o veja,
Regresse só que a gente o sinta –
Impulso, luz, visão que reja
E a alma pressinta!

E qualquer gládio adormecido,
Servo do oculto impulso, acorde,
E um novo herói se sinta erguido
Porque o recorde!

Governa o servo e o jogral.
O que íamos a ser morreu.
Não teve aurora a matinal
'Strela do céu.

Vivemos só de recordar.
Na nossa alma entristecida
Há um som de reza a invocar
A morta vida;

E um místico vislumbre chama
O que, no plaino trespassado,
Vive ainda em nós, longínqua chama –
O DESEJADO.

Sim, só há a esp'rança, como aquela
– E quem sabe se a mesma? – quando
Se foi de Aviz a última estrela
No campo infando.

Novo Alcácer Quibir na noite!
Novo castigo e mal do Fado!
Por que pecado novo o açoite
Assim é dado?

Só resta a fé, que a sua memória
Nos nossos corações gravou,
Que Deus não dá paga ilusória
A quem amou.

Flor alta do paul da grei,
Antemanhã da Redenção,
Nele uma hora encarnou el-rei
Dom Sebastião.

O sopro de ânsia que nos leva
A querer ser o que já fomos,
E em nós vem como em uma treva,
Em vãos assomos,

Bater à porta ao nosso gesto,
Fazer apelo ao nosso braço,
Lembrar ao sangue nosso o doesto
E o vil cansaço,

Nele um momento clareou,
A noite antiga se seguiu,
Mas que segredo é que ficou
No escuro frio?

Que memória, que luz passada
Projecta, sombra, no futuro,
Dá na alma? Que longínqua espada
Brilha no escuro?

Que nova luz virá raiar
Da noite em que jazemos vis?
Ó sombra amada, vem tornar
A ânsia feliz.

Quem quer que sejas, lá no abismo
Onde a morte a vida conduz,
Sê para nós um misticismo
A vaga luz

Com que a noite erma inda vazia
No frio alvor da antemanhã
Sente, da esp'rança que há no dia,
Que não é vã.

E amanhã, quando houver a Hora,
Sendo Deus pago, Deus dirá
Nova palavra redentora
Ao mal que há,

E um novo verbo ocidental
Encarnando em heroísmo e glória,
Traga por seu broquel real
Tua memória!

Precursor do que não sabemos,
Passado de um futuro a abrir
No assombro de portais extremos
Por descobrir.

Sê estrada, gládio, fé, fanal,
Pendão de glória em glória erguido!
Tornas possível Portugal
Por teres sido!

Não era extinta a antiga chama
Se tu e o amor puderam ser.
Entre clarins te a glória aclama,
Morto a vencer!

E, porque foste, confiando
Em QUEM SERÁ porque tu foste,
Ergamos a alma, e com o infando
Sorrindo arroste,

Até que Deus o laço solte
Que prende à terra a asa que somos,
E a curva novamente volte
Ao que já fomos,

E no ar de bruma que estremece
(Clarim longínquo matinal!)
O DESEJADO enfim regresse
A Portugal!

NATAL

Nasce um deus. Outros morrem. A Verdade
Nem veio nem se foi: o Erro mudou.
Temos agora uma outra Eternidade,
E era sempre melhor o que passou.

Cega, a Ciência a inútil gleba lavra.
Louca, a Fé vive o sonho do seu culto.
Um novo deus é só uma palavra.
Não procures nem creias: tudo é oculto.

CANÇÃO

Silfos ou gnomos tocam?…
Roçam nos pinheirais
Sombras e bafos leves
De ritmos musicais.

Ondulam como em voltas
De estradas não sei onde,
Ou como alguém que entre árvores
Ora se mostra ora se esconde.

Forma longínqua e incerta
Do que eu nunca terei…
Mal oiço, e quási choro,
Porque choro não sei.

Tão ténue melodia
Que mal sei se ela existe
Ou se é só o crepúsculo,
Os pinhais e eu estar triste.

Mas cessa, como uma brisa
Esquece a forma aos seus ais;
E agora não há mais música
Do que a dos pinheirais.

ALGUNS POEMAS

SACADURA CABRAL

No frio mar do alheio Norte,
    Morto, quedou,
Servo da Sorte infiel que a sorte
    Deu e tirou.

Brilha alto a chama que se apaga.
    A noite o encheu.
De estranho mar que estranha plaga,
    Nosso, o acolheu?

Floriu, murchou na extrema haste;
    Jóia do ousar,
Que teve por eterno engaste
    O céu e o mar.

DE UM CANCIONEIRO

No entardecer da terra
O sopro do longo outono

Amareleceu o chão.
Um vago vento erra,
Como um sonho mau num sono,
Na lívida solidão.

Soergue as folhas, e pousa
As folhas, e volve, e revolve,
E esvai-se inda outra vez.
Mas a folha não repousa,
E o vento lívido volve
E expira na lividez.

Eu já não sou quem era;
O que eu sonhei, morri-o;
E até do que hoje sou
Amanhã direi, *Quem dera*
Volver a sê-lo!... Mais frio
O vento vago voltou.

*

Leve, breve, suave,
Um canto de ave
Sobe no ar com que principia
O dia.
Escuto, e passou...
Parece que foi só porque escutei
Que parou.

Nunca, nunca, em nada,
Raie a madrugada,
Ou splenda o dia, ou doire no declive,
Tive
Prazer a durar
Mais do que o nada, a perda, antes de eu o ir
Gozar.

*

Pobre velha música!
Não sei por que agrado,
Enche-se de lágrimas
Meu olhar parado.

Recordo outro ouvir-te.
Não sei se te ouvi
Nessa minha infância
Que me lembra em ti.

Com que ânsia tão raiva
Quero aquele outrora!
E eu era feliz? Não sei:
Fui-o outrora agora.

*

Dorme enquanto eu velo…
Deixa-me sonhar…
Nada em mim é risonho.
Quero-te para sonho,
Não para te amar.

A tua carne calma
É fria em meu querer.
Os meus desejos são cansaços.
Nem quero ter nos braços
Meu sonho do teu ser.

Dorme, dorme, dorme,
Vaga em teu sorrir…
Sonho-te tão atento
Que o sonho é encantamento
E eu sonho sem sentir.

*

Trila na noite uma flauta. É de algum
Pastor? Que importa? Perdida
Série de notas vaga e sem sentido nenhum,
Como a vida.

Sem nexo ou princípio ou fim ondeia
A ária alada.

Pobre ária fora de música e de voz, tão cheia
De não ser nada!

Não há nexo ou fio por que se lembre aquela
Ária, ao parar;
E já ao ouvi-la sofro a saudade dela
E o quando cessar.

*

Põe-me as mãos nos ombros…
Beija-me na fronte…
Minha vida é escombros,
A minha alma insonte.

Eu não sei por quê,
Meu desde onde venho,
Sou o ser que vê,
E vê tudo estranho.

Põe a tua mão
Sobre o meu cabelo…
Tudo é ilusão.
Sonhar é sabê-lo.

*

Manhã dos outros! Ó sol que dás confiança
    Só a quem já confia!
É só à dormente, e não à morta, esperança
    Que acorda o teu dia.

A quem sonha de dia e sonha de noite, sabendo
    Todo sonho vão,
Mas sonha sempre, só para sentir-se vivendo
    E a ter coração,

A esses raias sem o dia que trazes, ou somente
    Como alguém que vem
Pela rua, invisível ao nosso olhar consciente,
    Por não ser-nos ninguém.

*

Treme em luz a água.
Mal vejo. Parece
Que uma alheia mágoa
Na minha alma desce –

Mágoa erma de alguém
De algum outro mundo
Onde a dor é um bem
E o amor é profundo,

E só punge ver,
Ao longe, iludida,
A vida a morrer
O sonho da vida.

*

Dorme sobre o meu seio,
Sonhando de sonhar...
No teu olhar eu leio
Um lúbrico vagar.
Dorme no sonho de existir
E na ilusão de amar...

Tudo é nada, e tudo
Um sonho finge ser.
O spaço negro é mudo.
Dorme, e, ao adormecer,
Saibas do coração sorrir
Sorrisos de esquecer.

Dorme sobre o meu seio,
Sem mágoa nem amor...
No teu olhar eu leio
O íntimo torpor
De quem conhece o nada-ser
De vida e gozo e dor.

*

Ao longe, ao luar,
No rio uma vela,
Serena a passar,
Que é que me revela?

Não sei, mas meu ser
Tornou-se-me estranho,
E eu sonho sem ver
Os sonhos que tenho.

Que angústia me enlaça?
Que amor não se explica?
É a vela que passa
Na noite que fica.

*

Em toda a noite o sono não veio. Agora
      Raia do fundo
Do horizonte, encoberta e fria, a manhã.
      Que faço eu no mundo?
Nada que a noite acalme ou levante a aurora,
      Coisa séria ou vã.

Com olhos tontos da febre vã da vigília
      Vejo com horror

O novo dia trazer-me o mesmo dia do fim
      Do mundo e da dor –
Um dia igual aos outros, da eterna família
      De serem assim.

Nem o símbolo ao menos val, a significação
      Da manhã que vem
Saindo lenta da própria essência da noite que era,
      Para quem,
Por tantas vezes ter sempre sperado em vão,
      Já nada spera.

*

Ela canta, pobre ceifeira,
Julgando-se feliz talvez;
Canta, e ceifa, e a sua voz, cheia
De alegre e anónima viuvez,

Ondula como um canto de ave
No ar limpo como um limiar,
E há curvas no enredo suave
Do som que ela tem a cantar.

Ouvi-la alegra e entristece,
Na sua voz há o campo e a lida,
E canta como se tivesse
Mais razões p'ra cantar que a vida.

Ah, canta, canta sem razão!
O que em mim sente stá pensando.
Derrama no meu coração
A tua incerta voz ondeando!

Ah, poder ser tu, sendo eu!
Ter a tua alegre inconsciência,
E a consciência disso! Ó céu!
Ó campo! ó canção! A ciência

Pesa tanto e a vida é tão breve!
Entrai por mim dentro! Tornai
Minha alma a vossa sombra leve!
Depois, levando-me, passai!

RUBAIYAT

O fim do longo, inútil dia ensombra.
A mesma sp'rança que não deu se escombra,
Prolixa… A vida é um mendigo bêbado
Que estende a mão à sua própria sombra.

Dormimos o universo. A extensa massa
Da confusão das cousas nos enlaça,
Sonhos; e a ébria confluência humana
Vazia ecoa-se de raça em raça.

Ao gozo segue a dor, e o gozo a esta.
Ora o vinho bebemos porque é festa,
Ora o vinho bebemos porque há dor,
Mas de um e de outro vinho nada resta.

ANTI-GAZETILHA

No comboio descendente
Vinha tudo à gargalhada,
Uns por verem rir os outros
E os outros sem ser por nada –
No comboio descendente
De Queluz à Cruz Quebrada...

No comboio descendente
Vinham todos à janela,
Uns calados para os outros
E os outros a dar-lhes trela –
No comboio descendente
Da Cruz Quebrada a Palmela...

No comboio descendente
Mas que grande reinação:
Uns dormindo, outros com sono,
E os outros nem sim nem não –
No comboio descendente
De Palmela a Portimão...

O AVÔ E O NETO

Ao ver o neto a brincar,
Diz o avô, entristecido:
«Ah, quem me dera voltar
A estar assim entretido!

«Quem me dera o tempo quando
Castelos assim fazia,
E que os deixava ficando
Às vezes p'ra o outro dia;

«E toda a tristeza minha
Era, ao acordar p'ra vê-lo,
Ver que a criada já tinha
Arrumado o meu castelo».

Mas o neto não o ouve
Porque está preocupado
Com um engano que houve
No portão para o soldado.

E, enquanto o avô cisma, e triste
Lembra a infância que lá vai,
Já mais uma casa existe
Ou mais um castelo cai;

E o neto, olhando afinal
E vendo o avô a chorar,
Diz, «Caiu, mas não faz mal:
Torna-se já a arranjar».

MARINHA

Ditosos a quem acena
Um lenço de despedida!
São felizes: têm pena...
Eu sofro sem pena a vida.

Doo-me até onde penso,
E a dor é já de pensar,
Órfão de um sonho suspenso
Pela maré a vazar...

E sobe até mim, já farto
De improfícuas agonias,
No cais de onde nunca parto,
A maresia dos dias.

QUALQUER MÚSICA...

Qualquer música, ah, qualquer,
Logo que me tire da alma
Esta incerteza que quer
Qualquer impossível calma!

Qualquer música – guitarra,
Viola, harmónio, realejo...
Um canto que se desgarra...
Um sonho em que nada vejo...

Qualquer coisa que não vida!
Jota, fado, a confusão
Da última dança vivida...
Que eu não sinta o coração!

DEPOIS DA FEIRA

Vão vagos pela estrada,
Cantando sem razão
A última esperança dada
À última ilusão.
Não significam nada.
Mimos e bobos são.

Vão juntos e diversos
Sob um luar de ver,
Em que sonhos imersos
Nem saberão dizer,
E cantam aqueles versos
Que lembram sem querer.

Pajens de um morto mito,
Tão líricos!, tão sós!
Não têm na voz um grito,
Mal têm a própria voz;
E ignora-os o infinito
Que nos ignora a nós.

TOMÁMOS A VILA DEPOIS
DE UM INTENSO BOMBARDEAMENTO

A criança loura
Jaz no meio da rua.
Tem as tripas de fora
E por uma corda sua
Um comboio que ignora.

A cara está um feixe
De sangue e de nada.
Luz um pequeno peixe –
Dos que bóiam nas banheiras –
À beira da estrada.

Cai sobre a estrada o escuro,
Longe, ainda uma luz doura
A criação do futuro…

E o da criança loura?

CANÇÃO

Sol nulo dos dias vãos,
Cheios de lida e de calma,
Aquece ao menos as mãos
A quem não entras na alma!

Que ao menos a mão, roçando
A mão que por ela passe,
Com externo calor brando
O frio da alma disfarce!

Senhor, já que a dor é nossa
E a fraqueza que ela tem,
Dá-nos ao menos a força
De a não mostrar a ninguém!

O MENINO DA SUA MÃE

No plaino abandonado
Que a morna brisa aquece,
De balas traspassado –
Duas de lado a lado –,
Jaz morto, e arrefece.

Raia-lhe a farda o sangue.
De braços estendidos,
Alvo, louro, exangue,
Fita com olhar langue
E cego os céus perdidos.

Tão jovem! que jovem era!
(Agora que idade tem?)
Filho único, a mãe lhe dera
Um nome e o mantivera:
«O menino da sua mãe».

Caiu-lhe da algibeira
A cigarreira breve.
Dera-lhe a mãe. Está inteira
E boa a cigarreira,
Ele é que já não serve.

De outra algibeira, alada
Ponta a roçar o solo,
A brancura embainhada
De um lenço… Deu-lho a criada
Velha que o trouxe ao colo.

Lá longe, em casa, há a prece:
«Que volte cedo, e bem!»
(Malhas que o Império tece!)
Jaz morto e apodrece
O menino da sua mãe.

Sagra, sinistro, a alguns o astro baço.
Seus três anéis irreversíveis são
A desgraça, a amargura, a solidão.
Oito luas fatais fitam no espaço.

Este, poeta, Apolo em seu regaço
A Saturno entregou. A plúmbea mão
Lhe ergueu ao alto o aflito coração,
E, erguido, o apertou, sangrando lasso.

Inúteis oito luas da loucura
Quando a cintura tríplice denota
Solidão, e desgraça, e amargura!

Mas da noite sem fim um rastro brota,
Vestígio de maligna formosura:
É a lua além de Deus, álgida e ignota.

O ÚLTIMO SORTILÉGIO

«Já repeti o antigo encantamento,
E a grande Deusa aos olhos se negou.
Já repeti, nas pausas do amplo vento,
As orações cuja alma é um ser fecundo.
Nada me o abismo deu ou o céu mostrou.
Só o vento volta onde estou toda e só,
E tudo dorme no confuso mundo.

«Outrora meu condão fadava as sarças
E a minha evocação do solo erguia
Presenças concentradas das que esparsas
Dormem nas formas naturais das cousas.
Outrora a minha voz acontecia.
Fadas e elfos, se eu chamasse, via,
E as folhas da floresta eram lustrosas.

«Minha varinha, com que da vontade
Falava às existências essenciais,
Já não conhece a minha realidade.
Já, se o círculo traço, não há nada.
Murmura o vento alheio extintos ais,
E ao luar que sobe além dos matagais
Não sou mais do que os bosques ou a estrada.

«Já me falece o dom com que me amavam.
Já me não torno a forma e o fim da vida
A quantos que, buscando-os, me buscavam.
Já, praia, o mar dos braços não me inunda.
Nem já me vejo ao sol saudado erguida,
Ou, em êxtase mágico perdida,
Ao luar, à boca da caverna funda.

«Já as sacras potências infernais,
Que, dormentes sem deuses nem destino,
À substância das cousas são iguais,
Não ouvem minha voz ou os nomes seus.
A música partiu-se do meu hino.
Já meu furor astral não é divino
Nem meu corpo pensado é já um deus.

«E as longínquas deidades do atro poço,
Que tantas vezes, pálida, evoquei
Com a raiva de amar em alvoroço,
Inevocadas hoje ante mim estão.
Como, sem que as amasse, eu as chamei,
Agora, que não amo, as tenho, e sei
Que meu vendido ser consumirão.

«Tu, porém, Sol, cujo ouro me foi presa,
Tu, Lua, cuja prata converti,
Se já não podeis dar-me essa beleza
Que tantas vezes tive por querer,
Ao menos meu ser findo dividi –

Meu ser essencial se perca em si,
Só meu corpo sem mim fique alma e ser!

«Converta-me a minha última magia
Numa estátua de mim em corpo vivo!
Morra quem sou, mas quem me fiz e havia,
Anónima presença que se beija,
Carne do meu abstracto amor captivo,
Seja a morte de mim em que revivo;
E tal qual fui, não sendo nada, eu seja!»

O ANDAIME

O tempo que eu hei sonhado
Quantos anos foi de vida!
Ah, quanto do meu passado
Foi só a vida mentida
De um futuro imaginado!

Aqui à beira do rio
Sossego sem ter razão.
Este seu correr vazio
Figura, anónimo e frio,
A vida vivida em vão.

A sprança que pouco alcança!
Que desejo vale o ensejo?
E uma bola de criança
Sobe mais que a minha sprança,
Rola mais que o meu desejo.

Ondas do rio, tão leves
Que não sois ondas sequer,
Horas, dias, anos, breves
Passam – verduras ou neves
Que o mesmo sol faz morrer.

Gastei tudo que não tinha.
Sou mais velho do que sou.
A ilusão, que me mantinha,

Só no palco era rainha:
Despiu-se, e o reino acabou.

Leve som das águas lentas,
Gulosas da margem ida,
Que lembranças sonolentas
De esperanças nevoentas!
Que sonhos o sonho e a vida!

Que fiz de mim? Encontrei-me
Quando estava já perdido.
Impaciente deixei-me
Como a um louco que teime
No que lhe foi desmentido.

Som morto das águas mansas
Que correm por ter que ser,
Leva não só as lembranças,
Mas as mortas esperanças –
Mortas, porque hão-de morrer.

Sou já o morto futuro.
Só um sonho me liga a mim –
O sonho atrasado e obscuro
Do que eu devera ser – muro
Do meu deserto jardim.

Ondas passadas, levai-me
Para o olvido do mar!
Ao que não serei legai-me,
Que cerquei com um andaime
A casa por fabricar.

GUIA-ME A só razão.
Não me deram mais guia.
Alumia-me em vão?
Só ela me alumia.

Tivesse Quem criou
O mundo desejado
Que eu fosse outro que sou,
Ter-me-ia outro criado.

Deu-me olhos para ver.
Olho, vejo, acredito.
Como ousarei dizer:
«Cego, fora eu bendito»?

Como o olhar, a razão
Deus me deu, para ver
Para além da visão –
Olhar de conhecer.

Se ver é enganar-me,
Pensar um descaminho,
Não sei. Deus os quis dar-me
Por verdade e caminho.

INICIAÇÃO

Não dormes sob os ciprestes,
Pois não há sono no mundo.
....
O corpo é a sombra das vestes
Que encobrem teu ser profundo.

Vem a noite, que é a morte,
E a sombra acabou sem ser.
Vais na noite só recorte,
Igual a ti sem querer.

Mas na Estalagem do Assombro
Tiram-te os Anjos a capa.
Segues sem capa no ombro,
Com o pouco que te tapa.

Então Arcanjos da Estrada
Despem-te e deixam-te nu.
Não tens vestes, não tens nada:
Tens só teu corpo, que és tu.

Por fim, na funda caverna,
Os Deuses despem-te mais.

Teu corpo cessa, alma externa,
Mas vês que são teus iguais.

. . . .

A sombra das tuas vestes
Ficou entre nós na Sorte.
Não stás morto entre ciprestes.
. . . .
Neófito, não há morte.

AUTOPSICOGRAFIA

O poeta é um fingidor.
Finge tão completamente
Que chega a fingir que é dor
A dor que deveras sente.

E os que lêem o que escreve,
Na dor lida sentem bem,
Não as duas que ele teve,
Mas só a que eles não têm.

E assim nas calhas de roda
Gira, a entreter a razão,
Esse comboio de corda
Que se chama o coração.

ISTO

Dizem que finjo ou minto
Tudo que escrevo. Não.
Eu simplesmente sinto
Com a imaginação.
Não uso o coração.

Tudo que sonho ou passo,
O que me falha ou finda,
É como que um terraço
Sobre outra cousa ainda.
Essa cousa é que é linda.

Por isso escrevo em meio
Do que não está ao pé,
Livre do meu enleio,
Sério do que não é.
Sentir? Sinta quem lê!

FRESTA

Em meus momentos escuros
Em que em mim não há ninguém,
E tudo é névoas e muros
Quanto a vida dá ou tem,

Se, um instante, erguendo a fronte
De onde em mim sou soterrado,
Vejo o longínquo horizonte
Cheio de sol posto ou nado,

Revivo, existo, conheço;
E, inda que seja ilusão
O exterior em que me esqueço,
Nada mais quero nem peço:
Entrego-lhe o coração.

EROS E PSIQUE

... E assim vedes, meu Irmão, que as verdades que vos foram dadas
no Grau de Neófito, e aquelas que vos foram dadas no Grau de
Adepto Menor, são, ainda que opostas, a mesma Verdade.
                    Do ritual do Grau de Mestre do Átrio
                    na Ordem Templária de Portugal

Conta a lenda que dormia
Uma Princesa encantada
A quem só despertaria
Um Infante, que viria
De além do muro da estrada.

Ele tinha que, tentado,
Vencer o mal e o bem,
Antes que, já libertado,
Deixasse o caminho errado
Por o que à Princesa vem.

A Princesa Adormecida,
Se espera, dormindo espera.
Sonha em morte a sua vida,
E orna-lhe a fronte esquecida,
Verde, uma grinalda de hera.

Longe o Infante, esforçado,
Sem saber que intuito tem,
Rompe o caminho fadado.
Ele dela é ignorado.
Ela para ele é ninguém.

Mas cada um cumpre o Destino –
Ela dormindo encantada,
Ele buscando-a sem tino
Pelo processo divino
Que faz existir a estrada.

E, se bem que seja obscuro
Tudo pela estrada fora,
E falso, ele vem seguro,
E, vencendo estrada e muro,
Chega onde em sono ela mora.

E, inda tonto do que houvera,
À cabeça, em maresia,
Ergue a mão, e encontra hera,
E vê que ele mesmo era
A Princesa que dormia.

NATAL

Natal. Na província neva.
Nos lares aconchegados
Um sentimento conserva
Os sentimentos passados.

Coração oposto ao mundo,
Como a família é verdade!
Meu pensamento é profundo,
Por isso tenho saudade.

E como é branca de graça
A paisagem que não sei,
Vista de trás da vidraça
Do lar que nunca terei!

INTERVALO

Quem te disse ao ouvido esse segredo
Que raras deusas têm escutado –
Aquele amor cheio de crença e medo
Que é verdadeiro só se é segredado?...
Quem to disse tão cedo?

Não fui eu, que te não ousei dizê-lo.
Não foi um outro, porque o não sabia.
Mas quem roçou da testa teu cabelo
E te disse ao ouvido o que sentia?
Seria alguém, seria?

Ou foi só que o sonhaste e eu te o sonhei?
Foi só qualquer ciúme meu de ti
Que o supôs dito, porque o não direi,
Que o supôs feito, porque o só fingi
Em sonhos que nem sei?

Seja o que for, que foi que levemente,
A teu ouvido vagamente atento,
Te falou desse amor em mim presente
Mas que não passa do meu pensamento
Que anseia e que não sente?

Foi um desejo que, sem corpo ou boca,
A teus ouvidos de eu sonhar-te disse
A frase eterna, imerecida e louca –
A que as deusas esperam da ledice
Com que o Olimpo se apouca.

CONSELHO

Cerca de grandes muros quem te sonhas.
Depois, onde é visível o jardim
Através do portão de grade dada,
Põe quantas flores são as mais risonhas,
Para que te conheçam só assim.
Onde ninguém o vir não ponhas nada.

Faze canteiros como os que outros têm,
Onde os olhares possam entrever
O teu jardim como lho vais mostrar.
Mas onde és teu, e nunca o vê ninguém,
Deixa as flores que vêm do chão crescer
E deixa as ervas naturais medrar.

Faze de ti um duplo ser guardado;
E que ninguém, que veja e fite, possa
Saber mais que um jardim de quem tu és –
Um jardim ostensivo e reservado,
Por trás do qual a flor nativa roça
A erva tão pobre que nem tu a vês...

Álvaro de Campos

OPIÁRIO

Ao senhor Mário de Sá-Carneiro

É antes do ópio que a minh'alma é doente.
Sentir a vida convalesce e estiola
E eu vou buscar ao ópio que consola
Um Oriente ao oriente do Oriente.

Esta vida de bordo há-de matar-me.
São dias só de febre na cabeça
E, por mais que procure até que adoeça,
Já não encontro a mola pra adaptar-me.

Em paradoxo e incompetência astral
Eu vivo a vincos d'ouro a minha vida,
Onda onde o pundonor é uma descida
E os próprios gozos gânglios do meu mal.

É por um mecanismo de desastres,
Uma engrenagem com volantes falsos,
Que passo entre visões de cadafalsos
Num jardim onde há flores no ar, sem hastes.

Vou cambaleando através do lavor
Duma vida-interior de renda e laca.
Tenho a impressão de ter em casa a faca
Com que foi degolado o Precursor.

Ando expiando um crime numa mala,
Que um avô meu cometeu por requinte.
Tenho os nervos na forca, vinte a vinte,
E caí no ópio como numa vala.

Ao toque adormecido da morfina
Perco-me em transparências latejantes
E numa noite cheia de brilhantes
Ergue-se a lua como a minha Sina.

Eu, que fui sempre um mau estudante, agora
Não faço mais que ver o navio ir
Pelo canal de Suez a conduzir
A minha vida, cânfora na aurora.

Perdi os dias que já aproveitara.
Trabalhei para ter só o cansaço
Que é hoje em mim uma espécie de braço
Que ao meu pescoço me sufoca e ampara.

E fui criança como toda a gente.
Nasci numa província portuguesa
E tenho conhecido gente inglesa
Que diz que eu sei inglês perfeitamente.

Gostava de ter poemas e novelas
Publicados por Plon e no *Mercure*,
Mas é impossível que esta vida dure.
Se nesta viagem nem houve procelas!

A vida a bordo é uma coisa triste
Embora a gente se divirta às vezes.
Falo com alemães, suecos e ingleses
E a minha mágoa de viver persiste.

Eu acho que não vale a pena ter
Ido ao Oriente e visto a Índia e a China.
A terra é semelhante e pequenina
E há só uma maneira de viver.

Por isso eu tomo ópio. É um remédio.
Sou um convalescente do Momento.
Moro no rés-do-chão do pensamento
E ver passar a Vida faz-me tédio.

Fumo. Canso. Ah uma terra aonde, enfim,
Muito a leste não fosse o oeste já!
Pra que fui visitar a Índia que há
Se não há Índia senão a alma em mim?

Sou desgraçado por meu morgadio.
Os ciganos roubaram minha Sorte,
Talvez nem mesmo encontre ao pé da morte
Um lugar que me abrigue do meu frio.

Eu fingi que estudei engenharia.
Vivi na Escócia. Visitei a Irlanda.
Meu coração é uma avozinha que anda
Pedindo esmola às portas da Alegria.

Não chegues a Port-Said, navio de ferro!
Volta à direita, nem eu sei para onde.
Passo os dias no smoking-room com o conde –
Um escroc francês, conde de fim de enterro.

Volto à Europa descontente, e em sortes
De vir a ser um poeta sonambólico.
Eu sou monárquico mas não católico
E gostava de ser as coisas fortes.

Gostaria de ter crenças e dinheiro,
Ser vária gente insípida que vi.
Hoje, afinal, não sou senão, aqui,
Num navio qualquer um passageiro.

Não tenho personalidade alguma.
É mais notado que eu esse criado
De bordo que tem um belo modo alçado
De *laird* escocês há dias em jejum.

Não posso estar em parte alguma. A minha
Pátria é onde não estou. Sou doente e fraco.
O comissário de bordo é velhaco.
Viu-me co'a sueca… e o resto ele adivinha.

Um dia faço escândalo cá a bordo,
Só para dar que falar de mim aos mais.
Não posso com a vida, e acho fatais
As iras com que às vezes me debordo.

Levo o dia a fumar, a beber coisas,
Drogas americanas que entontecem,
E eu já tão bêbado sem nada! Dessem
Melhor cérebro aos meus nervos como rosas.

Escrevo estas linhas. Parece impossível
Que mesmo ao ter talento eu mal o sinta!
O facto é que esta vida é uma quinta
Onde se aborrece uma alma sensível.

Os ingleses são feitos pra existir.
Não há gente como esta pra estar feita
Com a Tranquilidade. A gente deita
Um vintém e sai um deles a sorrir.

Pertenço a um género de portugueses
Que depois de estar a Índia descoberta
Ficaram sem trabalho. A morte é certa.
Tenho pensado nisto muitas vezes.

Leve o diabo a vida e a gente tê-la!
Nem leio o livro à minha cabeceira.
Enoja-me o Oriente. É uma esteira
Que a gente enrola e deixa de ser bela.

Caio no ópio por força. Lá querer
Que eu leve a limpo uma vida destas
Não se pode exigir. Almas honestas
Com horas pra dormir e pra comer,

Que um raio as parta! E isto afinal é inveja.
Porque estes nervos são a minha morte.
Não haver um navio que me transporte
Para onde eu nada queira que o não veja!

Ora! Eu cansava-me do mesmo modo.
Qu'ria outro ópio mais forte pra ir de ali
Para sonhos que dessem cabo de mim
E pregassem comigo nalgum lodo.

Febre! Se isto que tenho não é febre,
Não sei como é que se tem febre e sente.
O facto essencial é que estou doente.
Está corrida, amigos, esta lebre.

Veio a noite. Tocou já a primeira
Corneta, pra vestir para o jantar.
Vida social por cima! Isso! E marchar
Até que a gente saia pla coleira!

Porque isto acaba mal e há-de haver
(Olá!) sangue e um revólver lá prò fim
Deste desassossego que há em mim
E não há forma de se resolver.

E quem me olhar, há-de me achar banal,
A mim e à minha vida… Ora! um rapaz…
O meu próprio monóculo me faz
Pertencer a um tipo universal.

Ah quanta alma haverá, que ande metida
Assim como eu na Linha, e como eu mística!
Quantos sob a casaca característica
Não terão como eu o horror à vida?

Se ao menos eu por fora fosse tão
Interessante como sou por dentro!
Vou no Maelström, cada vez mais prò centro.
Não fazer nada é a minha perdição.

Um inútil. Mas é tão justo sê-lo!
Pudesse a gente desprezar os outros
E, ainda que co'os cotovelos rotos,
Ser herói, doido, amaldiçoado ou belo!

Tenho vontade de levar as mãos
À boca e morder nelas fundo e a mal.
Era uma ocupação original
E distraía os outros, os tais sãos.

O absurdo como uma flor da tal Índia
Que não vim encontrar na Índia, nasce
No meu cérebro farto de cansar-se.
A minha vida mude-a Deus ou finde-a…

Deixe-me estar aqui, nesta cadeira,
Até virem meter-me no caixão.
Nasci pra mandarim de condição,
Mas faltam-me o sossego, o chá e a esteira.

Ah que bom que era ir daqui de caída
Prà cova por um alçapão de estouro!
A vida sabe-me a tabaco louro.
Nunca fiz mais do que fumar a vida.

E afinal o que quero é fé, é calma,
E não ter estas sensações confusas,
Deus que acabe com isto! Abra as eclusas –
E basta de comédias na minh'alma!

1914, Março.
No canal de Suez, a bordo.

ODE TRIUNFAL

À dolorosa luz das grandes lâmpadas eléctricas da fábrica
Tenho febre e escrevo.
Escrevo rangendo os dentes, fera para a beleza disto,
Para a beleza disto totalmente desconhecida dos antigos.

Ó rodas, ó engrenagens, r-r-r-r-r-r-r eterno!
Forte espasmo retido dos maquinismos em fúria!
Em fúria fora e dentro de mim,
Por todos os meus nervos dissecados fora,
Por todas as papilas fora de tudo com que eu sinto!
Tenho os lábios secos, ó grandes ruídos modernos,
De vos ouvir demasiadamente de perto,
E arde-me a cabeça de vos querer cantar com um excesso
De expressão de todas as minhas sensações,
Com um excesso contemporâneo de vós, ó máquinas!

Em febre e olhando os motores como a uma Natureza tropical –
Grandes trópicos humanos de ferro e fogo e força –
Canto, e canto o presente, e também o passado e o futuro,
Porque o presente é todo o passado e todo o futuro
E há Platão e Virgílio dentro das máquinas e das luzes eléctricas
Só porque houve outrora e foram humanos Virgílio e Platão,
E pedaços do Alexandre Magno do século talvez cinquenta,
Átomos que hão-de ir ter febre para o cérebro do Ésquilo do século cem,
Andam por estas correias de transmissão e por estes êmbolos e por estes
volantes,

Rugindo, rangendo, ciciando, estrugindo, ferreando,
Fazendo-me um excesso de carícias ao corpo numa só carícia à alma.

Ah, poder exprimir-me todo como um motor se exprime!
Ser completo como uma máquina!
Poder ir na vida triunfante como um automóvel último-modelo!
Poder ao menos penetrar-me fisicamente de tudo isto,
Rasgar-me todo, abrir-me completamente, tornar-me passento
A todos os perfumes de óleos e calores e carvões
Desta flora estupenda, negra, artificial e insaciável!

Fraternidade com todas as dinâmicas!
Promíscua fúria de ser parte-agente
Do rodar férreo e cosmopolita
Dos comboios estrénuos,
Da faina transportadora-de-cargas dos navios,
Do giro lúbrico e lento dos guindastes,
Do tumulto disciplinado das fábricas,
E do quase-silêncio ciciante e monótono das correias de transmissão!

Horas europeias, produtoras, entaladas
Entre maquinismos e afazeres úteis!
Grandes cidades paradas nos cafés,
Nos cafés – oásis de inutilidades ruidosas
Onde se cristalizam e se precipitam
Os rumores e os gestos do Útil
E as rodas, e as rodas-dentadas e as chumaceiras do Progressivo!
Nova Minerva sem-alma dos cais e das gares!
Novos entusiasmos de estatura do Momento!
Quilhas de chapas de ferro sorrindo encostadas às docas,

Ou a seco, erguidas, nos planos-inclinados dos portos!
Actividade internacional, transatlântica, *Canadian-Pacific*!
Luzes e febris perdas de tempo nos bares, nos hotéis,
Nos Longchamps e nos Derbies e nos Ascots,
E Piccadillies e Avenues de l'Ópera que entram
Pela minh'alma dentro!

Hé-la as ruas, hé-lá as praças, hé-lá-hô *la foule!*
Tudo o que passa, tudo o que para às montras!
Comerciantes; vadios; escrocs exageradamente bem-vestidos;
Membros evidentes de clubs aristocráticos;
Esquálidas figuras dúbias; chefes de família vagamente felizes
E paternais até na corrente de oiro que atravessa o colete
De algibeira a algibeira!
Tudo o que passa, tudo o que passa e nunca passa!
Presença demasiadamente acentuada de cocottes;
Banalidade interessante (e quem sabe o quê por dentro?)
Das burguesinhas, mãe e filha geralmente,
Que andam na rua com um fim qualquer;
A graça feminil e falsa dos pederastas que passam, lentos;
E toda a gente simplesmente elegante que passeia e se mostra
E afinal tem alma lá dentro!

(Ah, como eu desejaria ser o *souteneur* disto tudo!)

A maravilhosa beleza das corrupções políticas,
Deliciosos escândalos financeiros e diplomáticos,
Agressões políticas nas ruas,
E de vez em quando o cometa dum regicídio

Que ilumina de prodígio e Fanfarra os céus
Usuais e lúcidos da Civilização quotidiana!

Notícias desmentidas dos jornais,
Artigos políticos insinceramente sinceros,
Notícias *passez à-la-caisse*, grandes crimes –
Duas colunas deles passando para a segunda página!
O cheiro fresco a tinta de tipografia!
Os cartazes postos há pouco, molhados!
Vients-de-paraître amarelos com uma cinta branca!
Como eu vos amo a todos, a todos, a todos,
Como eu vos amo de todas as maneiras,
Com os olhos e com os ouvidos e com o olfacto
E com o tacto (o que palpar-vos representa para mim!)
E com a inteligência como uma antena que fazeis vibrar!
Ah, como todos os meus sentidos têm cio de vós!

Adubos, debulhadoras a vapor, progressos de agricultura!
Química agrícola, e o comércio quase uma ciência!
Ó mostruários dos caixeiros-viajantes,
Dos caixeiros-viajantes, cavaleiros-andantes da Indústria,
Prolongamentos humanos das fábricas e dos calmos escritórios!

Ó fazendas nas montras! ó manequim! ó últimos figurinos!
Ó artigos inúteis que toda a gente quer comprar!
Olá grandes armazéns com várias secções!
Olá anúncios eléctricos que vêm e estão e desaparecem!
Olá tudo com que hoje se constrói, com que hoje se é diferente de ontem!
Eh, cimento armado, beton de cimento, novos processos!

Progressos dos armamentos gloriosamente mortíferos!
Couraças, canhões, metralhadoras, submarinos, aeroplanos!

Amo-vos a todos, a tudo, como uma fera.
Amo-vos carnivoramente,
Pervertidamente e enroscando a minha vista
Em vós, ó coisas grandes, banais, úteis, inúteis,
Ó coisas todas modernas,
Ó minhas contemporâneas, forma actual e próxima
Do sistema imediato do Universo!
Nova Revelação metálica e dinâmica de Deus!

Ó fábricas, ó laboratórios, ó *music-halls*, ó Luna-Parks,
Ó couraçados, ó pontes, ó docas flutuantes –
Na minha mente turbulenta e encandescida
Possuo-vos como a uma mulher bela,
Completamente vos possuo como a uma mulher bela que não se ama,
Que se encontra casualmente e se acha interessantíssima.

Eh-lá-hô fachadas das grandes lojas!
Eh-lá-hô elevadores dos grandes edifícios!
Eh-lá-hô recomposições ministeriais!
Parlamentos, políticas, relatores de orçamentos,
Orçamentos falsificados!
(Um orçamento é tão natural como uma árvore
E um parlamento tão belo como uma borboleta).

Eh lá o interesse por tudo na vida,
Porque tudo é a vida, desde os brilhantes nas montras
Até à noite ponte misteriosa entre os astros

E o mar antigo e solene, lavando as costas
E sendo misericordiosamente o mesmo
Que era quando Platão era realmente Platão
Na sua presença real e na sua carne com a alma dentro,
E falava com Aristóteles, que havia de não ser discípulo dele.

Eu podia morrer triturado por um motor
Com o sentimento de deliciosa entrega duma mulher possuída.
Atirem-me para dentro das fornalhas!
Metam-me debaixo dos comboios!
Espanquem-me a bordo de navios!
Masoquismo através de maquinismos!
Sadismo de não sei quê moderno e eu e barulho!

Up-lá hô jockey que ganhaste o Derby,
Morder entre dentes o teu *cap* de duas cores!

(Ser tão alto que não pudesse entrar por nenhuma porta!
Ah, olhar é em mim uma perversão sexual!)

Eh-lá, eh-lá, eh-lá, catedrais!
Deixai-me partir a cabeça de encontro às vossas esquinas,
E ser levantado da rua cheio de sangue
Sem ninguém saber quem eu sou!

Ó tramways, funiculares, metropolitanos,
Roçai-vos por mim até ao espasmo!
Hilla! hilla! hilla-hô!
Dai-me gargalhadas em plena cara,
Ó automóveis apinhados de pândegos e de putas,

Ó multidões quotidianas nem alegres nem tristes das ruas,
Rio multicolor anónimo e onde eu não me posso banhar como quereria!
Ah, que vidas complexas, que coisas lá pelas casas de tudo isto:
Ah, saber-lhes as vidas a todos, as dificuldades de dinheiro,
As dissensões domésticas, os deboches que não se suspeitam,
Os pensamentos que cada um tem a sós consigo no seu quarto
E os gestos que faz quando ninguém o pode ver!
Não saber tudo isto é ignorar tudo, ó raiva,
Ó raiva que como uma febre e um cio e uma fome
Me põe a magro o rosto e me agita às vezes as mãos
Em crispações absurdas em pleno meio das turbas
Nas ruas cheias de encontrões!

Ah, e a gente ordinária e suja, que parece sempre a mesma,
Que emprega palavrões como palavras usuais,
Cujos filhos roubam às portas das mercearias
E cujas filhas aos oito anos – e eu acho isto belo e amo-o! –
Masturbam homens de aspecto decente nos vãos de escada.
A gentalha que anda pelos andaimes e que vai para casa
Por vielas quase irreais de estreiteza e podridão.
Maravilhosa gente humana que vive como os cães,
Que está abaixo de todos os sistemas morais,
Para quem nenhuma religião foi feita,
Nenhuma arte criada,
Nenhuma política destinada para eles!
Como eu vos amo a todos, porque sois assim,
Nem imorais de tão baixos que sois, nem bons nem maus,
Inatingíveis por todos os progressos,
Fauna maravilhosa do fundo do mar da vida!

(Na nora do quintal da minha casa
O burro anda à roda, anda à roda,
É o mistério do mundo é do tamanho disto.
Limpa o suor com o braço, trabalhador descontente.
A luz do sol abafa o silêncio das esferas
E havemos todos de morrer,
Ó pinheirais sombrios ao crepúsculo,
Pinheirais onde a minha infância era outra coisa
Do que eu sou hoje…)

Mas, ah outra vez a raiva mecânica constante!
Outra vez a obsessão movimentada dos ómnibus.
E outra vez a fúria de estar indo ao mesmo tempo dentro de todos os
comboios
De todas as partes do mundo,
De estar dizendo adeus de bordo de todos os navios,
Que a estas horas estão levantando ferro ou afastando-se das docas.
Ó ferro, ó aço, ó alumínio, ó chapas de ferro ondulado!
Ó cais, ó portos, ó comboios, ó guindastes, ó rebocadores!

Eh-lá grandes desastres de comboios!
Eh-lá desabamentos de galerias de minas!
Eh-lá naufrágios deliciosos dos grandes transatlânticos!
Eh-lá-hô revoluções aqui, ali, acolá,
Alterações de constituições, guerras, tratados, invasões,
Ruído, injustiças, violências, e talvez para breve o fim,
A grande invasão dos bárbaros amarelos pela Europa,
E outro Sol no novo horizonte!

Que importa tudo isto, mas que importa tudo isto
Ao fúlgido e rubro ruído contemporâneo,

Ao ruído cruel e delicioso da civilização de hoje?
Tudo isso apaga tudo, salvo o Momento,
O Momento de tronco nu e quente como um fogueiro,
O Momento estridentemente ruidoso e mecânico,
O Momento dinâmico passagem de todas as bacantes
Do ferro e do bronze e da bebedeira dos metais.

Eia comboios, eia pontes, eia hotéis à hora do jantar,
Eia aparelhos de todas as espécies, férreos, brutos, mínimos,
Intrumentos de precisão, aparelhos de triturar, de cavar,
Engenhos, brocas, máquinas rotativas!
Eia! eia! eia!
Eia electricidade, nervos doentes da Matéria!
Eia telegrafia-sem-fios, simpatia metálica do inconsciente!
Eia túneis, eia canais, Panamá, Kiel, Suez!
Eia todo o passado dentro do presente!
Eia todo o futuro já dentro de nós! eia!
Eia! eia! eia!
Frutos de ferro e útil da árvore-fábrica-cosmopolita!
Eia! eia! eia! eia-hô-ô-ô!
Nem sei que existo para dentro. Giro, rodeio, engenho-me.
Engatam-me em todos os comboios.
Içam-me em todos os cais.
Giro dentro das hélices de todos os navios.
Eia! eia-hô! eia!
Eia! sou o calor mecânico e a electricidade!
Eia! e os *rails* e as casas de máquinas e a Europa!
Eia e hurrah por mim-tudo e tudo, máquinas a trabalhar, eia!

Galgar com tudo por cima de tudo! Hup-lá!

Hup lá, hup lá, hup-lá-hô, hup-lá!
Hé-há! Hé-hô! Ho-o-o-o-o!
Z-z-z-z-z-z-z-z-z-z-z!

Ah não ser eu toda a gente e toda a parte!

Londres, 1914 – Junho.

ODE MARÍTIMA

a Santa Rita Pintor

Sozinho, no cais deserto, a esta manhã de verão,
Olho prò lado da barra, olho prò Indefinido,
Olho e contenta-me ver,
Pequeno, negro e claro, um paquete entrando.
Vem muito longe, nítido, clássico à sua maneira.
Deixa no ar distante atrás de si a orla vã do seu fumo.
Vem entrando, e a manhã entra com ele, e no rio,
Aqui, acolá, acorda a vida marítima,
Erguem-se velas, avançam rebocadores,
Surgem barcos pequenos de trás dos navios que estão no porto.
Há uma vaga brisa.
Mas a minh'alma está com o que vejo menos,
Com o paquete que entra,
Porque ele está com a Distância, com a Manhã,
Com o sentido marítimo desta Hora,
Com a doçura dolorosa que sobe em mim como uma náusea,
Como um começar a enjoar, mas no espírito.

Olho de longe o paquete, com uma grande independência de alma,
E dentro de mim um volante começa a girar, lentamente.

Os paquetes que entram de manhã na barra
Trazem aos meus olhos consigo
O mistério alegre e triste de quem chega e parte.
Trazem memórias de cais afastados e doutros momentos

Doutro modo da mesma humanidade noutros portos.
Todo o atracar, todo o largar de navio,
É – sinto-o em mim como o meu sangue–
Inconscientemente simbólico, terrivelmente
Ameaçador de significações metafísicas
Que perturbam em mim quem eu fui...

Ah, todo o cais é uma saudade de pedra!
E quando o navio larga do cais
E se repara de repente que se abriu um espaço
Entre o cais e o navio,
Vem-me, não sei porquê, uma angústia recente,
Uma névoa de sentimentos de tristeza
Que brilha ao sol das minhas angústias relvadas
Como a primeira janela onde a madrugada bate,
E me envolve como uma recordação duma outra pessoa
Que fosse misteriosamente minha.

Ah, quem sabe, quem sabe,
Se não parti outrora, antes de mim,
Dum cais; se não deixei, navio ao sol
Oblíquo da madrugada,
Uma outra espécie de porto?
Quem sabe se não deixei, antes de a hora
Do mundo exterior como eu o vejo
Raiar-se para mim,
Um grande cais cheio de pouca gente,
Duma grande cidade meio-desperta,
Duma enorme cidade comercial, crescida, apoplética,
Tanto quanto isso pode ser fora do Espaço e do Tempo?

Sim, dum cais, dum cais dalgum modo material,
Real, visível como cais, cais realmente,
O Cais Absoluto por cujo modelo inconscientemente imitado,
Insensivelmente evocado,
Nós os homens construímos
Os nossos cais nos nossos portos,
Os nossos cais de pedra actual sobre água verdadeira,
Que depois de construídos se anunciam de repente
Cousas-Reais, Espíritos-Cousas, Entidades em Pedra-Almas,
A certos momentos nossos de sentimento-raiz
Quando no mundo-exterior como que se abre uma porta
E, sem nada que se altere,
Tudo se revela diverso.

Ah o Grande Cais donde partimos em Navios-Nações!
O Grande Cais Anterior, eterno e divino!
De que porto? Em que águas? E porque penso eu isto?
Grande Cais como os outros cais, mas o Único.
Cheio como eles de silêncios rumorosos nas antemanhãs,
E desabrochando com as manhãs num ruído de guindastes
E chegadas de comboios de mercadorias,
E sob a nuvem negra e ocasional e leve
Do fumo das chaminés das fábricas próximas
Que lhe sombreia o chão preto de carvão pequenino que brilha,
Como se fosse a sombra duma nuvem que passasse sobre água sombria.
Ah, que essencialidade de mistério e sentidos parados
Em divino êxtase revelador
Às horas cor de silêncios e angústias
Não é ponte entre qualquer cais e O Cais!

Cais negramente reflectido nas águas paradas,
Bulício a bordo dos navios,
Ó alma errante e instável da gente que anda embarcada,
Da gente simbólica que passa e com quem nada dura,
Que quando o navio volta ao porto
Há sempre qualquer alteração a bordo!

Ó fugas contínuas, idas, ebriedade do Diverso!
Alma eterna dos navegadores e das navegações!
Cascos reflectidos de vagar nas águas,
Quando o navio larga do porto!
Flutuar como alma da vida, partir como voz,
Viver o momento tremulamente sobre águas eternas.
Acordar para dias mais directos que os dias da Europa,
Ver portos misteriosos sobre a solidão do mar,
Virar cabos longínquos para súbitas vastas paisagens
Por inumeráveis encostas atónitas...

Ah, as praias longínquas, os cais vistos de longe,
E depois as praias próximas, os cais vistos de perto.
O mistério de cada ida e de cada chegada,
A dolorosa instabilidade e incompreensibilidade
Deste impossível universo
A cada hora marítima mais na própria pele sentido!
O soluço absurdo que as nossas almas derramam
Sobre as extensões de mares diferentes com ilhas ao longe,
Sobre as ilhas longínquas das costas deixadas passar,
Sobre o crescer nítido dos portos, com as suas casas e a sua gente,
Para o navio que se aproxima.

Ah, a frescura das manhãs em que se chega,
E a palidez das manhãs em que se parte,
Quando as nossas entranhas se arrepanham
E uma vaga sensação parecida com um medo
– O medo ancestral de se afastar e partir,
O misterioso receio ancestral à Chegada e ao Novo –
Encolhe-nos a pele e agonia-nos,
E todo o nosso corpo angustiado sente,
Como se fosse a nossa alma,
Uma inexplicável vontade de poder sentir isto doutra maneira:
Uma saudade a qualquer cousa,
Uma perturbação de afeições a que vaga pátria?
A que costa? a que navio? a que cais?
Que se adoece em nós o pensamento
E só fica um grande vácuo dentro de nós,
Uma oca saciedade de minutos marítimos,
E uma ansiedade vaga que seria tédio ou dor
Se soubesse como sê-lo...

A manhã de verão está, ainda assim, um pouco fresca.
Um leve torpor de noite anda ainda no ar sacudido.
Acelera-se ligeiramente o volante dentro de mim.
E o paquete vem entrando, porque deve vir entrando sem dúvida,
E não porque eu o veja mover-se na sua distância excessiva.

Na minha imaginação ele está já perto e é visível
Em toda a extensão das linhas das suas vigias,
E treme em mim tudo, toda a carne e toda a pele,
Por causa daquela criatura que nunca chega em nenhum barco
E eu vim esperar hoje ao cais, por um mandado oblíquo.

Os navios que entram a barra,
Os navios que saem dos portos,
Os navios que passam ao longe
(Suponho-me vendo-os duma praia deserta) –
Todos estes navios abstractos quase na sua ida,
Todos estes navios assim comovem-me como se fossem outra cousa
E não apenas navios, navios indo e vindo.

E os navios vistos de perto, mesmo que se não vá embarcar neles,
Vistos de baixo, dos botes, muralhas altas de chapas,
Vistos dentro, através das câmaras, das salas, das dispensas,
Olhando de perto os mastros, afilando-se lá prò alto,
Roçando pelas cordas, descendo as escadas incómodas,
Cheirando a untada mistura metálica e marítima de tudo aquilo –
Os navios vistos de perto são outra cousa e a mesma cousa,
Dão a mesma saudade e a mesma ânsia doutra maneira.

Toda a vida marítima! tudo na vida marítima!
Insinua-se no meu sangue toda essa sedução fina
E eu cismo indeterminadamente as viagens.
Ah, as linhas das costas distantes, achatadas pelo horizonte!
Ah, os cabos, as ilhas, as praias areentas!
As solidões marítimas, como certos momentos no Pacífico
Em que não sei porque sugestão aprendida na escola
Se sente pesar sobre os nervos o facto de que aquele é o maior dos oceanos
E o mundo e o sabor das cousas tornam-se um deserto dentro de nós!
A extensão mais humana, mais salpicada, do Atlântico!
O Índico, o mais misterioso dos oceanos todos!
O Mediterrâneo, doce, sem mistério nenhum, clássico, um mar pra bater
De encontro a esplanadas olhadas de jardins próximos por estátuas brancas!

Todos os mares, todos os estreitos, todas as baías, todos os golfos,
Queria apertá-los ao peito, senti-los bem e morrer!

E vós, ó cousas navais, meus velhos brinquedos de sonho!
Componde fora de mim a minha vida interior!
Quilhas, mastros e velas, rodas do leme, cordagens,
Chaminés de vapores, hélices, gáveas, flâmulas,
Galdropes, escotilhas, caldeiras, colectores, válvulas,
Caí por mim dentro em montão, em monte,
Como o conteúdo confuso de uma gaveta despejada no chão!
Sede vós o tesouro da minha avareza febril,
Sede vós os frutos da árvore da minha imaginação,
Tema de cantos meus, sangue nas veias da minha inteligência,
Vosso seja o laço que me une ao exterior pela estética,
Fornecei-me metáforas, imagens, literatura,
Porque em real verdade, a sério, literalmente,
Minhas sensações são um barco de quilha prò ar,
Minha imaginação uma âncora meio submersa,
Minha ânsia um remo partido,
E a tessitura dos meus nervos uma rede a secar na praia!

Soa no acaso do rio um apito, só um.
Treme já todo o chão do meu psiquismo.
Acelera-se cada vez mais o volante dentro de mim.

Ah, os paquetes, as viagens, o não-se-saber-o-paradeiro
De Fulano-de-tal, marítimo, nosso conhecido!
Ah, a glória de se saber que um homem que andava connosco
Morreu afogado ao pé de uma ilha do Pacífico!
Nós que andámos com ele vamos falar nisso a todos,

Com um orgulho legítimo, com uma confiança invisível
Em que tudo isso tenha um sentido mais belo e mais vasto
Que apenas o ter-se perdido o barco onde ele ia
E ele ter ido ao fundo por lhe ter entrado água pròs pulmões!

Ah, os paquetes, os navios-carvoeiros, os navios de vela!
Vão rareando – ai de mim! – os navios de vela nos mares!
E eu, que amo a civilização moderna, eu que beijo com a alma as máquinas,
Eu o engenheiro, eu o civilizado, eu o educado no estrangeiro,
Gostaria de ter outra vez ao pé da minha vista só veleiros e barcos de madeira,
De não saber doutra vida marítima que a antiga vida dos mares!
Porque os mares antigos são a Distância Absoluta,
O Puro Longe, liberto do peso do Actual...
E ah, como aqui tudo me lembra essa vida melhor,
Esses mares, misteriosos, porque se sabia menos deles.

Todo o vapor ao longe é um barco de vela perto.
Todo o navio distante visto agora é um navio no passado visto próximo.
Todos os marinheiros invisíveis a bordo dos navios do horizonte
São os marinheiros visíveis do tempo dos velhos navios,
Da época lenta e veleira das navegações perigosas,
Da época de madeira e lona das viagens que duravam meses.

Toma-me pouco a pouco o delírio das cousas marítimas,
Penetram-me fisicamente o cais e a sua atmosfera,
O marulho do Tejo galga-me por cima dos sentidos,
E começo a sonhar, começo a envolver-me do sonho das águas,
Começam a pegar bem as correias de transmissão na minh'alma
E a aceleração do volante sacode-me nitidamente.

Chamam por mim as águas,
Chamam por mim os mares.
Chamam por mim, levantando uma voz corpórea, os longes,
As épocas marítimas todas sentidas no passado, a chamar.

Tu, marinheiro inglês, Jim Barns meu amigo, foste tu
Que me ensinaste esse grito antiquíssimo, inglês,
Que tão venenosamente resume
Para as almas complexas como a minha
O chamamento confuso das águas,
A voz inédita e implícita de todas as cousas do mar,
Dos naufrágios, das viagens longínquas, das travessias perigosas.
Esse teu grito inglês, tornado universal no meu sangue,
Sem feitio de grito, sem forma humana nem voz,
Esse grito tremendo que parece soar
De dentro duma caverna cuja abóbada é o céu
E parece narrar todas as sinistras cousas
Que podem acontecer no Longe, no Mar, pela Noite…
(Fingias sempre que era por uma escuna que chamavas,
E dizias assim, pondo uma mão de cada lado da boca,
Fazendo porta-voz das grandes mãos curtidas e escuras:

Ahò ò-ò-ò-ò-ò-ò-ò-ò-ò-ò-ò-ò-ò——yyyy…
Schooner ahò-ò-ò-ò-ò-ò-ò-ò-ò-ò-ò-ò-ò——yyyy…)

Escuto-te de aqui, agora, e desperto a qualquer cousa.
Estremece o vento. Sobe a manhã. O calor abre.
Sinto corarem-me as faces.
Meus olhos conscientes dilatam-se.
O êxtase em mim levanta-se, cresce, avança,

E com um ruído cego de arruaça acentua-se
O giro vivo do volante.

Ó clamoroso chamamento
A cujo calor, a cuja fúria fervem em mim
Numa unidade explosiva todas as minhas ânsias,
Meus próprios tédios tornados dinâmicos, todos!…
Apelo lançado ao meu sangue
Dum amor passado, não sei onde, que volve
E ainda tem força para me atrair e puxar,
Que ainda tem força para me fazer odiar esta vida
Que passo entre a impenetrabilidade física e psíquica
Da gente real com que vivo!

Ah, seja como for, seja para onde for, partir!
Largar por aí fora, pelas ondas, pelo perigo, pelo mar,
Ir para Longe, ir para Fora, para a Distância abstracta,
Indefinidamente, pelas noites misteriosas e fundas,
Levado, como a poeira, plos ventos, plos vendavais!
Ir, ir, ir, ir de vez!
Todo o meu sangue raiva por asas!
Todo o meu corpo atira-se prà frente!
Galgo pla minha imaginação fora em torrentes!
Atropelo-me, rujo, precipito-me!…
Estoiram em espuma as minhas ânsias
E a minha carne é uma onda dando de encontro a rochedos!

Pensando nisto – ó raiva! pensando nisto – ó fúria!
Pensando nesta estreiteza da minha vida cheia de ânsias,
Subitamente, tremulamente, extraorbitadamente,

Com uma oscilação viciosa, vasta, violenta,
Do volante vivo da minha imaginação,
Rompe, por mim, assobiando, silvando, vertiginando,
O cio sombrio e sádico da estrídula vida marítima.

Eh marinheiros, gageiros! eh tripulantes, pilotos!
Navegadores, mareantes, marujos, aventureiros!
Eh capitães de navios! homens ao leme e em mastros!
Homens que dormem em beliches rudes!
Homens que dormem co'o Perigo a espreitar plas vigias!
Homens que dormem co'a Morte por travesseiro!
Homens que têm tombadilhos, que têm pontes donde olhar
A imensidade imensa do mar imenso!
Eh manipuladores dos guindastes de carga!
Eh amainadores de velas, fogueiros, criados de bordo!
Homens que metem a carga nos porões!
Homens que enrolam cabos no convés!
Homens que limpam os metais das escotilhas!
Homens do leme! homens das máquinas! homens dos mastros!
Eh-eh-eh-eh-eh-eh-eh!
Gente de bonet de pala! Gente de camisola de malha!
Gente de âncoras e bandeiras cruzadas bordadas no peito!
Gente tatuada! gente de cachimbo! gente de amurada!
Gente escura de tanto sol, crestada de tanta chuva,
Limpa de olhos de tanta imensidade diante deles,
Audaz de rosto de tantos ventos que lhes bateram a valer!
Eh-eh-eh-eh-eh-eh-eh!
Homens que vistes a Patagónia!
Homens que passastes pela Austrália!
Que enchestes o vosso olhar de costas que nunca verei!

131

Que fostes a terra em terras onde nunca descerei!
Que comprastes artigos toscos em colónias à proa de sertões!
E fizestes tudo isso como se não fosse nada,
Como se isso fosse natural,
Como se a vida fosse isso,
Como nem sequer cumprindo um destino!
Eh-eh-he-he-he-eh-he-he!
Homens do mar actual! homens do mar passado!
Comissários de bordo! escravos das galés! combatentes de Lepanto!
Piratas do tempo de Roma! Navegadores da Grécia!
Fenícios! Cartagineses! Portugueses atirados de Sagres
Para a aventura indefinida, para o Mar Absoluto, para realizar o
Impossível!

Eh-eh-eh-eh-eh-eh-eh-eh-eh!
Homens que erguestes padrões, que destes nomes a cabos!
Homens que negociastes pela primeira vez com pretos!
Que primeiro vendestes escravos de novas terras!
Que destes o primeiro espasmo europeu às negras atónitas!
Que trouxestes ouro, missanga, madeiras cheirosas, setas,
De encostas explodindo em verde vegetação!
Homens que saqueastes tranquilas povoações africanas,
Que fizestes fugir com o ruído de canhões essas raças,
Que matastes, roubastes, torturastes, ganhastes
Os prémios de Novidade de quem, de cabeça baixa,
Arremete contra o mistério de novos mares! Eh-eh-eh-eh-eh!
A vós todos num, a vós todos em vós todos como um,
A vós todos misturados, entrecruzados,
A vós todos sangrentos, violentos, odiados, temidos, sagrados,
Eu vos saúdo, eu vos saúdo, eu vos saúdo!

Eh-eh-eh-eh eh! Eh eh-eh eh eh! Eh-eh-eh- eh-eh-eh eh!
Eh-lahô-lahô-laHO-lahá-á-á-à à!

Quero ir convosco, quero ir convosco,
Ao mesmo tempo com vós todos
Pra toda a parte pr'onde fostes!
Quero encontrar vossos perigos frente a frente,
Sentir na minha cara os ventos que engelharam as vossas,
Cuspir dos lábios o sal dos mares que beijaram os vossos,
Ter braços na vossa faina, partilhar das vossas tormentas,
Chegar como vós, enfim, a extraordinários portos!
Fugir convosco à civilização!
Perder convosco a noção da moral!
Sentir mudar-se no longe a minha humanidade!
Beber convosco em mares do sul
Novas selvajarias, novas balbúrdias da alma,
Novos fogos centrais no meu vulcânico espírito!
Ir convosco, despir de mim – ah! põe-te daqui pra fora! –
O meu traje de civilizado, a minha brandura de acções,
Meu medo inato das cadeias,
Minha pacífica vida,
A minha vida sentada, estática, regrada e revista!

No mar, no mar, no mar, no mar,
Eh! pôr no mar, ao vento, às vagas,
A minha vida!
Salgar de espuma arremessada pelos ventos
Meu paladar das grandes viagens.
Fustigar de água chicoteante as carnes da minha aventura,
Repassar de frios oceânicos os ossos da minha existência,

Flagelar, cortar, engelhar de ventos, de espumas, de sóis,
Meu ser ciclónico e atlântico,
Meus nervos postos como enxárcias,
Lira nas mãos dos ventos!

Sim, sim, sim... Crucificai-me nas navegações
E as minhas espáduas gozarão a minha cruz!
Atai-me às viagens como a postes
E a sensação dos postes entrará pela minha espinha
E eu passarei a senti-los num vasto espasmo passivo!
Fazei o que quiserdes de mim, logo que seja nos mares,
Sobre conveses, ao som de vagas,
Que me rasgueis, mateis, firais!
O que quero é levar prà Morte
Uma alma a transbordar de Mar,
Ébria a cair das cousas marítimas,
Tanto dos marujos como das âncoras, dos cabos,
Tanto das costas longínquas como do ruído dos ventos,
Tanto do Longe como do Cais, tanto dos naufrágios
Como dos tranquilos comércios,
Tanto dos mastros como das vagas,
Levar prà Morte com dor, voluptuosamente,
Um corpo cheio de sanguessugas, a sugar, a sugar,
De estranhas verdes absurdas sanguessugas marítimas!

Façam enxárcias das minhas veias!
Amarras dos meus músculos!
Arranquem-me a pele, preguem-a às quilhas.
E possa eu sentir a dor dos pregos e nunca deixar de sentir!
Façam do meu coração uma flâmula de almirante

Na hora de guerra dos velhos navios!
Calquem aos pés nos conveses meus olhos arrancados!
Quebrem-me os ossos de encontro às amuradas!
Fustiguem-me atado aos mastros, fustiguem-me!
A todos os ventos de todas as latitudes e longitudes
Derramem meu sangue sobre as águas arremessadas
Que atravessam o navio, o tombadilho, de lado a lado,
Nas vascas bravas das tormentas!

Ter a audácia ao vento dos panos das velas!
Ser, como as gáveas altas, o assobio dos ventos!
A velha guitarra do Fado dos mares cheios de perigos,
Canção para os navegadores ouvirem e não repetirem!

Os marinheiros que se sublevaram
Enforcaram o capitão numa verga.
Desembarcaram um outro numa ilha deserta.
Marooned!
O sol dos trópicos pôs a febre da pirataria antiga
Nas minhas veias intensivas.
Os ventos da Patagónia tatuaram a minha imaginação
De imagens trágicas e obscenas.
Fogo, fogo, fogo, dentro de mim!
Sangue! sangue! sangue! sangue!
Explode todo o meu cérebro!
Parte-se-me o mundo em vermelho!
Estoiram-me com o som de amarras as veias!
E estala em mim, feroz, voraz,
A canção do Grande Pirata,
A morte berrada do Grande Pirata a cantar

Até meter pavor plas espinhas dos seus homens abaixo.
Lá da ré a morrer, e a berrar, a cantar:

> *Fifteen men on the Dead Man's Chest.*
> *Yo-ho ho and a bottle of rum!*

E depois a gritar, numa voz já irreal, a estoirar no ar:

Darby M'Graw-aw-aw-aw-aw!
Darby M'Graw-aw-aw-aw-aw-aw-aw-aw!
Fetch a-a-aft the ru-u-u-u-u-u-u-um, Darby!

Eia, que vida essa! essa era a vida, eia!
Eh-eh eh eh-eh-eh-eh!
Eh-lahô-lahô-laHO-lahá-á-á-à-à!
Eh-eh-eh-eh-eh-eh-eh!

Quilhas partidas, navios ao fundo, sangue nos mares!
Conveses cheios de sangue, fragmentos de corpos!
Dedos decepados sobre amuradas!
Cabeças de crianças, aqui, acolá!
Gente de olhos fora, a gritar, a uivar!
Eh-eh-eh-eh-eh-eh-eh-eh-eh-eh!
Eh-eh-eh-eh-eh-eh-eh-eh-eh!
Embrulho-me em tudo isto como numa capa no frio!
Roço-me por tudo isto como uma gata com cio por um muro!
Rujo como um leão faminto para tudo isto!
Arremeto como um touro louco sobre tudo isto!
Cravo unhas, parto garras, sangro dos dentes sobre isto!
Eh-eh-eh-eh-eh-eh-eh-eh-eh!

De repente estala-me sobre os ouvidos
Como um clarim a meu lado,
O velho grito, mas agora irado, metálico,
Chamando a presa que se avista,
A escuna que vai ser tomada:

Ahó-ó-ó-ó-óó-ó-ó-ó-ó-ó----yyyy…
Schooner ahó-ó-ó-ó-ó-ó-ó-ó-ó-ó-ó-ó----yyyy…

O mundo inteiro não existe para mim! Ardo vermelho!
Rujo na fúria da abordagem!
Pirata-mor! César-Pirata!
Pilho, mato, esfacelo, rasgo!
Só sinto o mar, a presa, o saque!
Só sinto em mim bater, baterem-me
As veias das minhas fontes!
Escorre sangue quente a minha sensação dos meus olhos!
Eh-eh-eh-eh-eh-eh-eh-eh-eh-eh-eh!

Ah piratas, piratas, piratas!
Piratas, amai-me e odiai-me!
Misturai-me convosco, piratas!

Vossa fúria, vossa crueldade como falam ao sangue
Dum corpo de mulher que foi meu outrora e cujo cio sobrevive!

Eu queria ser um bicho representativo de todos os vossos gestos,
Um bicho que cravasse dentes nas amuradas, nas quilhas,
Que comesse mastros, bebesse sangue e alcatrão nos conveses,

Trincasse velas, remos, cordame e poleame,
Serpente do mar feminina e monstruosa cevando-se nos crimes!

E há uma sinfonia de sensações incompatíveis e análogas,
Há uma orquestração no meu sangue de balbúrdias de crimes,
De estrépitos espasmados de orgias de sangue nos mares,
Furibundamente, como um vendaval de calor pelo espírito,
Nuvem de poeira quente anuviando a minha lucidez
E fazendo-me ver e sonhar isto tudo só com a pele e as veias!

Os piratas, a pirataria, os barcos, a hora,
Aquela hora marítima em que as presas são assaltadas,
E o terror dos apressados foge prà loucura – essa hora,
No seu total de crimes, terror, barcos, gente, mar, céu, nuvens,
Brisa, latitude, longitude, vozearia,
Queria eu que fosse em seu Todo meu corpo em seu Todo, sofrendo,
Que fosse meu corpo e meu sangue, compusesse meu ser em vermelho,
Florescesse como uma ferida comichando na carne irreal da minha alma!

Ah, ser tudo nos crimes! ser todos os elementos componentes
Dos assaltos aos barcos e das chacinas e das violações!
Ser quanto foi no lugar dos saques!
Ser quanto viveu ou jazeu no local das tragédias de sangue!
Ser o pirata-resumo de toda a pirataria no seu auge,
E a vítima-síntese, mas de carne e osso, de todos os piratas do mundo!

Ser no meu corpo passivo a mulher-todas-as-mulheres
Que foram violadas, mortas, feridas, rasgadas plos piratas!
Ser no meu ser subjugado a fêmea que tem de ser deles!
E sentir tudo isso – todas estas cousas duma só vez – pela espinha!

Ó meus peludos e rudes heróis da aventura e do crime!
Minhas marítimas feras, maridos da minha imaginação!
Amantes casuais da obliquidade das minhas sensações!
Queria ser Aquela que vos esperasse nos portos,
A vós, odiados amados do meu sangue de pirata nos sonhos!
Porque ela teria convosco, mas só em espírito, raivado
Sobre os cadáveres nus das vítimas que fazeis no mar!
Porque ela teria acompanhado vosso crime, e na orgia oceânica
Seu espírito de bruxa dançaria invisível em volta dos gestos
Dos vossos corpos, dos vosos cutelos, das vossas mãos estranguladoras!
E ela em terra, esperando-vos, quando viésseis, se acaso viésseis!
Iria beber nos rugidos do vosso amor todo o vasto,
Todo o nevoento e sinistro perfume das vossas vitórias,
E através dos vossos espasmos silvaria um sabbat de vermelho e amarelo!

A carne rasgada, a carne aberta e estripada, o sangue correndo!
Agora, no auge conciso de sonhar o que vós fazíeis,
Perco-me todo de mim, já não vos pertenço, sou vós,
A minha feminilidade que vos acompanha é ser as vossas almas!
Estar por dentro de toda a vossa ferocidade, quando a praticáveis!
Sugar por dentro a vossa consciência das vossas sensações
Quando tingíeis de sangue os mares altos,
Quando de vez em quando atiráveis aos tubarões
Os corpos vivos ainda dos feridos, a carne rosada das crianças
E leváveis as mães às amuradas para verem o que lhes acontecia!

Estar convosco na carnagem, na pilhagem!
Estar orquestrado convosco na sinfonia dos saques!
Ah, não sei quê, não sei quanto queria eu ser de vós!
Não era só ser-vos a fêmea, ser-vos as fêmeas, ser-vos as vítimas,
Ser-vos as vítimas – homens, mulheres, crianças, navios –,

Não era só ser a hora e os barcos e as ondas,
Não era só ser vossas almas, vossos corpos, vossa fúria, vossa posse,
Não era só ser concretamente vosso acto abstracto de orgia,
Não era só isto que eu queria ser – era mais que isto, o Deus-isto!
Era preciso ser Deus, o Deus dum culto ao contrário,
Um deus monstruoso e satânico, um Deus dum panteísmo de sangue,
Para poder encher toda a medida da minha fúria imaginativa,
Para poder nunca esgotar os meus desejos de identidade
Com o cada, e o tudo, e o mais-que-tudo das vossas vitórias!

Ah, torturai-me para me curardes!
Minha carne – fazei dela o ar que os vossos cutelos atravessam
Antes de caírem sobre as cabeças e os ombros!
Minhas veias sejam os fatos que as facas trespassam!
Minha imaginação o corpo das mulheres que violais!
Minha inteligência o convés onde estais de pé matando!
Minha vida toda, no seu conjunto nervoso, histérico, absurdo,
O grande organismo de que cada acto de pirataria que se cometeu
Fosse uma célula consciente – e todo eu turbilhonasse
Como uma imensa podridão ondeando, e fosse aquilo tudo!

Com tal velocidade desmedida, pavorosa,
A máquina de febre das minhas visões transbordantes
Gira agora que a minha consciência, volante,
É apenas um nevoento círculo assobiando no ar.

> *Fifteen men on the Dead Man's Chest.*
> *Yo-ho-ho and a bottle of rum!*

Eh-lahô-lahô-laHO----lahá-á-ááá----ààà...

Ah! a selvajaria desta selvajaria! Merda
Pra toda a vida como a nossa, que não é nada disto!
Eu pr'aqui engenheiro, prático à força, sensível a tudo,
Pr'aqui parado, em relação a vós, mesmo quando ando;
Mesmo quando ajo, inerte; mesmo quando me imponho, débil;
Estático, quebrado, dissidente cobarde da vossa Glória,
Da vossa grande dinâmica estridente, quente e sangrenta!

Arre! por não poder agir d'acordo com o meu delírio!
Arre! por andar sempre agarrado às saias da civilização!
Por andar com a *douceur des mœurs* às costas, como um fardo de rendas!
Moços de esquina – todos nós o somos – do humanitarismo moderno!
Estupores de tísicos, de neurasténicos, de linfáticos,
Sem coragem para ser gente com violência e audácia,
Com a alma como uma galinha presa por uma perna!

Ah, os piratas! os piratas!
A ânsia do ilegal unido ao feroz
A ânsia das cousas absolutamente cruéis e abomináveis,
Que rói como um cio abstracto os nossos corpos franzinos,
Os nossos nervos femininos e delicados,
E põe grandes febres loucas nos nossos olhares vazios!

Obrigai-me a ajoelhar diante de vós!
Humilhai-me e batei-me!
Fazei de mim o vosso escravo e a vossa cousa!
E que o vosso desprezo por mim nunca me abandone,
Ó meus senhores! Ó meus senhores!

Tomar sempre gloriosamente a parte submissa
Nos acontecimentos de sangue e nas sensualidades estiradas!

Desabai sobre mim, como grandes muros pesados,
Ó bárbaros do antigo mar!
Rasgai-me e feri-me!
De leste a oeste do meu corpo
Riscai de sangue a minha carne!
Beijai com cutelos de bordo e açoites e raiva
O meu alegre terror carnal de vos pertencer,
A minha ânsia masoquista em me dar à vossa fúria,
Em ser objecto inerte e sentiente da vossa omnívora crueldade,
Dominadores, senhores, imperadores, corcéis!
Ah, torturai-me,
Rasgai-me e abri-me!
Desfeito em pedaços conscientes
Entornai-me sobre os conveses,
Espalhai-me nos mares, deixai-me
Nas praias ávidas das ilhas!

Cevai sobre mim todo o meu misticismo de vós!
Cinzelai a sangue a minh'alma!
Cortai, riscai!
Ó tatuadores da minha imaginação corpórea!
Esfoladores amados da minha carnal submissão!
Submetei-me como quem mata um cão a pontapés!
Fazei de mim o poço para o vosso desprezo de domínio!

Fazei de mim as vossas vítimas todas!
Como Cristo sofreu por todos os homens, quero sofrer
Por todas as vossas vítimas às vossas mãos,
Às vossas mãos calosas, sangrentas e de dedos decepados
Nos assaltos bruscos de amuradas!

Fazei de mim qualquer cousa como se eu fosse
Arrastado – ó prazer, ó beijada dor! –
Arrastado à cauda de cavalos chicoteados por vós...
Mas isto no mar, isto no ma-a-a-ar, isto no MA-A-A-AR!
Eh-eh-eh-eh-eh! Eh-eh-eh-eh-eh-eh-eh! EH-EH-EH-EH-EH-EH-EH!
                                          No MA-A-A-A-AR!
Yeh-eh-eh-eh-eh eh! Yeh-eh-eh-eh-eh-eh! Yeh-eh-eh-eh-eh-eh-eh!
Grita tudo! tudo a gritar! ventos, vagas, barcos,
Mares, gáveas, piratas, a minha alma, o sangue, e o ar, e o ar!
Eh-eh-eh-eh! Yeh-eh-eh-eh-eh! Yeh-eh-eh-eh-eh-eh! Tudo canta a gritar!

    FIFTEEN MEN ON THE DEAD MAN'S CHEST
    YO-HO-HO AND A BOTTLE OF RUM!

Eh-eh-eh-eh-eh-eh-eh! Eh-eh-eh-eh-eh-eh-eh! Eh-eh-eh-eh-eh-eh-eh!
Hé-lahô-lahô-laHO-O-O-ôô-laha-á-á-á---ààà!

AHÓ-Ó-Ó-Ó-Ó-Ó-Ó-Ó-Ó-Ó-Ó-Ó---YYY!...
SCHOONER AHÓ-Ó-Ó-Ó-Ó-Ó-Ó-Ó-Ó-Ó-Ó-Ó----yyyy!...

Darby M'Graw-aw-aw-aw-aw-aw-aw!
DARBY M'GRAW-AW-AW-AW-AW-AW-AW!
FETCH A-A-AFT THE RU-U-U-U-U-UM, DARBY!

He-eh-eh-eh-eh-eh-eh-eh-eh-eh-eh-eh-eh!
EH-EH-EH-EH-EH-EH-EH-EH-EH-EH-EH-EH!
EH-EH-EH-EH-EH-EH-EH-EH-EH-EH-EH-EH!
EH-EH-EH-EH-EH-EH-EH-EH-EH-EH-EH-EH!

EH-EH-EH-EH-EH-EH-EH-EH-EH-EH-EH!

Parte-se em mim qualquer cousa. O vermelho anoiteceu.
Senti de mais para poder continuar a sentir.
Esgotou-se-me a alma, ficou só um eco dentro de mim.
Decresce sensivelmente a velocidade do volante.
Tiram-me um pouco as mãos dos olhos os meus sonhos.
Dentro de mim há só um vácuo, um deserto, um mar nocturno.
E logo que sinto que há um mar nocturno dentro de mim,
Sobe dos longes dele, nasce do seu silêncio,
Outra vez, outra vez, o vasto grito antiquíssimo.
De repente, como um relâmpago de som, que não faz barulho mas ternura,
Subitamente abrangendo todo o horizonte marítimo
Húmido e sombrio marulho humano nocturno,
Voz de sereia longínqua chorando, chamando,
Vem do fundo do Longe, do fundo do Mar, da alma dos Abismos,
E à tona dele, como algas, boiam meus sonhos desfeitos...

Ahò ò-ò ò ò ò ò ò-ò ò ò ò----yy..
Schooner ahò-ò-ò ò-ò-ò-ò ò ò ò ò ò-ò-ò----yy.....

Ah o orvalho sobre a minha excitação!
O frescor nocturno no meu oceano interior!
Eis tudo em mim de repente ante uma noite no mar
Cheia do enorme mistério humaníssimo das ondas nocturnas.
A lua sobe no horizonte
E a minha infância feliz acorda, como uma lágrima, em mim.
O meu passado ressurge, como se esse grito marítimo
Fosse um aroma, uma voz, o eco duma canção
Que fosse chamar ao meu passado
Por aquela felicidade que nunca mais tornarei a ter.

Era na velha casa sossegada, ao pé do rio…
(As janelas do meu quarto, e as da casa de jantar também,
Davam, por sobre umas casas baixas, para o rio próximo,
Para o Tejo, este mesmo Tejo, mas noutro ponto, mais abaixo…
Se eu agora chegasse às mesmas janelas não chegava às mesmas janelas.
Aquele tempo passou como o fumo dum vapor no mar alto…)

Uma inexplicável ternura,
Um remorso comovido e lacrimoso,
Por todas aquelas vítimas – principalmente as crianças –
Que sonhei fazendo ao sonhar-me pirata antigo,
Emoção comovida, porque elas foram minhas vítimas;
Terna e suave, porque não o foram realmente;
Uma ternura confusa, como um vidro embaciado, azulada,
Canta velhas canções na minha pobre alma dolorida.

Ah, como pude eu pensar, sonhar aquelas cousas?
Que longe estou do que fui há uns momentos!
Histeria das sensações – ora estas, ora as opostas!
Na loura manhã que se ergue, como o meu ouvido só escolhe
As cousas de acordo com esta emoção – o marulho das águas,
O marulho leve das águas do rio de encontro ao cais…,
A vela passando perto do outro lado do rio,
Os montes longínquos, dum azul japonês,
As casas de Almada,
E o que há de suavidade e de infância na hora matutina!…

Uma gaivota que passa,
E a minha ternura é maior.

Mas todo este tempo não estive a reparar para nada.
Tudo isto foi uma impressão só da pele, como uma carícia.
Todo este tempo não tirei os olhos do meu sonho longínquo,
Da minha casa ao pé do rio,
Da minha infância ao pé do rio,
Das janelas do meu quarto dando para o rio de noite,
E a paz do luar esparso nas águas!…
Minha velha tia, que me amava por causa do filho que perdeu…,
Minha velha tia costumava adormecer-me cantando-me
(Se bem que eu fosse já crescido de mais para isso)…
Lembro-me e as lágrimas caem sobre o meu coração e lavam-o da vida,
E ergue-se uma leve brisa marítima dentro de mim.
Às vezes ela cantava a «Nau Catrineta»:

Lá vai a Nau Catrineta
Por sobre as águas do mar…

E outras vezes, numa melodia muito saudosa e tão medieval
Era a «Bela Infanta»… Relembro, e a pobre velha voz ergue-se dentro de mim
E lembra-me que pouco me lembrei dela depois, e ela amava-me tanto!
Como fui ingrato para ela – e afinal que fiz eu da vida?
Era a «Bela Infanta»… Eu fechava os olhos, e ela cantava:

Estando a Bela Infanta
No seu jardim assentada…

Eu abria um pouco os olhos e via a janela cheia de luar
E depois fechava os olhos outra vez, e em tudo isto era feliz.

Estando a Bela Infanta
No seu jardim assentada,

Seu pente de ouro na mão,
Seus cabelos penteava...

Ó meu passado de infância, boneco que me partiram!

Não poder viajar pra o passado, para aquela casa e aquela afeição,
E ficar lá sempre, sempre criança e sempre contente!

Mas tudo isto foi o Passado, lanterna a uma esquina de rua velha.
Pensar nisto faz frio, faz fome duma cousa que se não pode obter.
Dá-me não sei que remorso absurdo pensar nisto.
Oh turbilhão lento de sensações desencontradas!
Vertigem ténue de confusas cousas na alma!
Fúrias partidas, ternuras como carrinhos de linha com que as crianças
                                                            brincam,
Grandes desabamentos de imaginação sobre os olhos dos sentidos,
Lágrimas, lágrimas inúteis,
Leves brisas de contradição roçando pela face a alma...

Evoco, por um esforço voluntário, para sair desta emoção,
Evoco, com um esforço desesperado, seco, nulo,
A canção do Grande Pirata, quando estava a morrer:

Fifteen men on The Dead Man's Chest.
Yo-ho-ho and a bottle of rum!

Mas a canção é uma linha recta mal traçada dentro de mim...

Esforço-me e consigo chamar outra vez ante os meus olhos na alma,
Outra vez, mas através duma imaginação quasi literária,

A fúria da pirataria, da chacina, o apetite, quasi do paladar, do saque,
Da chacina inútil de mulheres e de crianças,
Da tortura fútil, e só para nos distrairmos, dos passageiros pobres,
E a sensualidade de escangalhar e partir as cousas mais queridas dos outros,
Mas sonho isto tudo com um medo de qualquer cousa a respirar-me sobre
                                                                    a nuca.

Lembro-me de que seria interessante
Enforcar os filhos à vista das mães
(Mas sinto-me sem querer as mães deles)
Enterrar vivas nas ilhas desertas as crianças de quatro anos
Levando os pais em barcos até lá para verem
(Mas estremeço, lembrando-me dum filho que não tenho e está dormindo
                                                        tranquilo em casa).

Aguilhoo uma ânsia fria dos crimes marítimos,
Duma inquisição sem a desculpa da Fé,
Crimes nem sequer com razão de ser de maldade e de fúria,
Feitos a frio, nem sequer para ferir, nem sequer para fazer mal,
Nem sequer para nos divertirmos, mas apenas para passar o tempo,
Como quem faz paciências a uma mesa de jantar de província com a toalha
                atirada pra o outro lado da mesa depois de jantar,
Só pelo suave gosto de cometer crimes abomináveis e não os achar grande
                                                                    cousa,
De ver sofrer até ao ponto da loucura e da morte-pela-dor mas nunca deixar
                                                            chegar lá...
Mas a minha imaginação recusa-se a acompanhar-me.
Um calafrio arrepia-me.
E de repente, mais de repente do que da outra vez, de mais longe, de mais
                                                                    fundo,

De repente – oh pavor por todas as minhas veias! –,
Oh frio repentino da porta para o Mistério que se abriu dentro de mim e
                              deixou entrar uma corrente de ar!
Lembro-me de Deus, do Transcendental da vida, e de repente
A velha voz do marinheiro inglês Jim Barns, com quem eu falava,
Tornada voz das ternuras misteriosas dentro de mim, das pequenas cousas
                              de regaço de mãe e de fita de cabelo de irmã,
Mas estupendamente vinda de além da aparência das cousas,
A Voz surda e remota tornada A Voz Absoluta, a Voz Sem Boca,
Vinda de sobre e de dentro da solidão nocturna dos mares,
Chama por mim, chama por mim, chama por mim...

Vem surdamente, como se fosse suprimida e se ouvisse,
Longinquamente, como se estivesse soando noutro lugar e aqui não se
                              pudesse ouvir,
Como um soluço abafado, uma luz que se apaga, um hálito silencioso,
De nenhum lado do espaço, de nenhum local no tempo,
O grito eterno e nocturno, o sopro fundo e confuso:

Ahô-ô-ô-ô-ô-ô-ô-ô-ô-ô-ô-ô-ô-ô-ô—-yyy......
Ahô-ô-ô-ô-ô-ô-ô-ô-ô-ô-ô-ô-ô-ô – – yy.........
Schooner ahô-ô-ô-ô-ô-ô-ô-ô-ô-ô-ô-ô-ô-ô-ô---yy.........

Tremo com um frio da alma repassando-me o corpo
E abro de repente os olhos, que não tinha fechado.
Ah, que alegria a de sair dos sonhos de vez!
Eis outra vez o mundo real, tão bondoso para os nervos!
Ei-lo a esta hora matutina em que entram os paquetes que chegam cedo.

Já não me importa o paquete que entrava. Ainda está longe.
Só o que está perto agora me lava a alma.

A minha imaginação higiénica, forte, prática,
Preocupa-se agora apenas com as cousas modernas e úteis,
Com os navios de carga, com os paquetes e os passageiros,
Com as fortes cousas imediatas, modernas, comerciais, verdadeiras.
Abranda o seu giro dentro de mim o volante.

Maravilhosa vida marítima moderna,
Toda limpeza, máquinas e saúde!
Tudo tão bem arranjado, tão espontaneamente ajustado,
Todas as peças das máquinas, todos os navios pelos mares,
Todos os elementos da actividade comercial de exportação e importação
Tão maravilhosamente combinando-se
Que corre tudo como se fosse por leis naturais,
Nenhuma cousa esbarrando com outra!

Nada perdeu a poesia. E agora há a mais as máquinas
Com a sua poesia também, e todo o novo género de vida
Comercial, mundana, intelectual, sentimental,
Que a era das máquinas veio trazer para as almas.
As viagens agora são tão belas como eram dantes
E um navio será sempre belo, só porque é um navio.
Viajar ainda é viajar e o longe está sempre onde esteve –
Em parte nenhuma, graças a Deus!

Os portos cheios de vapores de muitas espécies!
Pequenos, grandes, de várias cores, com várias disposições de vigias,
De tão deliciosamente tantas companhias de navegação!
Vapores nos portos, tão individuais na separação destacada dos ancoramentos!
Tão prazenteiro o seu garbo quieto de cousas comerciais que andam no mar,
 No velho mar sempre o homérico, ó Ulisses!

O olhar humanitário dos faróis na distância da noite,
Ou o súbito farol próximo na noite muito escura
(«Que perto da terra que estávamos passando!» E o som da água canta-nos
ao ouvido)!…

Tudo isto é como sempre foi, mas há o comércio;
E o destino comercial dos grandes vapores
Envaidece-me da minha época!
A mistura de gente a bordo dos navios de passageiros
Dá-me o orgulho moderno de viver numa época onde é tão fácil
Misturarem-se as raças, transporem-se os espaços, ver com facilidade todas
as cousas,
E gozar a vida realizando um grande número de sonhos.

Limpos, regulares, modernos como um escritório com guichets em redes de
arame amarelo,
Meus sentimentos agora, naturais e comedidos como gentlemen,
São práticos, longe de desvairamentos, enchem de ar marítimo os pulmões,
Como gente perfeitamente consciente de como é higiénico respirar o ar do
mar.

O dia é perfeitamente já de horas de trabalho.
Começa tudo a movimentar-se, a regularizar-se.

Com um grande prazer natural e directo percorro com a alma
Todas as operações comerciais necessárias a um embarque de mercadorias.
A minha época é o carimbo que levam todas as facturas,
E sinto que todas as cartas de todos os escritórios
Deviam ser endereçadas a mim.

Um conhecimento de bordo tem tanta individualidade,
E uma assinatura de comandante de navio é tão bela e moderna!
Rigor comercial do princípio e do fim das cartas:
Dear Sirs – Messieurs – Amigos e Snrs,
Yours faithfully –… nos salutations empressées…
Tudo isto é não só humano e limpo, mas também belo,
E tem ao fim um destino marítimo, um vapor onde embarquem
As mercadorias de que as cartas e as facturas tratam.

Complexidade da vida! As facturas são feitas por gente
Que tem amores, ódios, paixões políticas, às vezes crimes –
E são tão bem escritas, tão alinhadas, tão independentes de tudo isso!
Há quem olhe para uma factura e não sinta isto.
Com certeza que tu, Cesário Verde, o sentias.
Eu é até às lágrimas que o sinto humanissimamente.
Venham dizer-me que não há poesia no comércio, nos escritórios!
Ora, ela entra por todos os poros… Neste ar marítimo respiro-a,
Porque tudo isto vem a propósito dos vapores, da navegação moderna,
Porque as facturas e as cartas comerciais são o princípio da história
E os navios que levam as mercadorias pelo mar eterno são o fim.

Ah, e as viagens, as viagens de recreio, e as outras,
As viagens por mar, onde todos somos companheiros uns dos outros
Duma maneira especial, como se um mistério marítimo
Nos aproximasse as almas e nos tornasse um momento
Patriotas transitórios duma mesma pátria incerta,
Eternamente deslocando-se sobre a imensidade das águas!
Grandes hotéis do Infinito, oh transatlânticos meus!
Com o cosmopolitismo perfeito e total de nunca pararem num ponto
E conterem todas as espécies de trajes, de caras, de raças!

As viagens, os viajantes – tantas espécies deles!
Tanta nacionalidade sobre o mundo! tanta profissão! tanta gente!
Tanto destino diverso que se pode dar à vida,
À vida, afinal, no fundo sempre, sempre a mesma!
Tantas caras curiosas! Todas as caras são curiosas
E nada traz tanta religiosidade como olhar muito para gente.
A fraternidade afinal não é uma ideia revolucionária.
É uma cousa que a gente aprende pela vida fora, onde tem que tolerar tudo,
E passa a achar graça ao que tem que tolerar,
E acaba quasi a chorar de ternura sobre o que tolerou!

Ah, tudo isto é belo, tudo isto é humano e anda ligado
Aos sentimentos humanos, tão conviventes e burgueses,
Tão complicadamente simples, tão metafisicamente tristes!
A vida flutuante, diversa, acaba por nos educar no humano.
Pobre gente! pobre gente toda a gente!

Despeço-me nesta hora no corpo deste outro navio
Que vai agora saindo. É um tramp-steamer inglês,
Muito sujo, como se fosse um navio francês,
Com um ar simpático de proletário dos mares,
É sem dúvida anunciado ontem na última página das gazetas.

Enternece-me o pobre vapor, tão humilde vai ele e tão natural.
Parece ter um certo escrúpulo não sei em quê, ser pessoa honesta,
Cumpridora duma qualquer espécie de deveres.
Lá vai ele deixando o lugar defronte do cais onde estou.
Lá vai ele tranquilamente, passando por onde as naus estiveram
Outrora, outrora…
Para Cardiff? Para Liverpool? Para Londres? Não tem importância.

Ele faz o seu dever. Assim façamos nós o nosso. Bela vida!
Boa viagem! Boa viagem!
Boa viagem, meu pobre amigo casual, que me fizeste o favor
De levar contigo a febre e a tristeza dos meus sonhos,
E restituir-me à vida para olhar para ti e te ver passar.
Boa viagem! Boa viagem! A vida é isto...
Que aprumo tão natural, tão inevitavelmente matutino
Na tua saída do porto de Lisboa, hoje!
Tenho-te uma afeição curiosa e grata por isso...
Por isso quê? Sei lá o que é!... Vai... Passa...
Com um ligeiro estremecimento,
(T - t - - t - - - t - - - - t - - - - - t ...)
O volante dentro de mim, pára.

Passa, lento vapor, passa e não fiques...
Passa de mim, passa da minha vista,
Vai-te de dentro do meu coração,
Perde-te no Longe, no Longe, bruma de Deus,
Perde-te, segue o teu destino e deixa-me...
Eu quem sou para que chore e interrogue?
Eu quem sou para que te fale e te ame?
Eu quem sou para que me perturbe ver-te?
Larga do cais, cresce o sol, ergue-se ouro,
Luzem os telhados dos edíficios do cais,
Todo o lado de cá da cidade brilha...
Parte, deixa-me, torna-te
Primeiro o navio a meio do rio, destacado e nítido,
Depois o navio a caminho da barra, pequeno e preto,
Depois ponto vago no horizonte (ó minha angústia!),
Ponto cada vez mais vago no horizonte...,

Nada depois, e só eu e a minha tristeza,
E a grande cidade agora cheia de sol
E a hora real e nua como um cais já sem navios,
E o giro lento do guindaste que como um compasso que gira,
Traça um semicírculo de não sei que emoção
No silêncio comovido da minh'alma…

SONETO JÁ ANTIGO

Olha, Daisy: quando eu morrer tu hás-de
Dizer aos meus amigos aí de Londres,
Embora não o sintas, que tu escondes
A grande dor da minha morte. Irás de

Londres p'ra York, onde nasceste (dizes...
Que eu nada que tu digas acredito),
Contar àquele pobre rapazito
Que me deu tantas horas tão felizes,

Embora não o saibas, que morri...
Mesmo ele, a quem eu tanto julguei amar,
Nada se importará... Depois vai dar

A notícia a essa estranha Cecily
Que acreditava que eu seria grande...
Raios partam a vida e quem lá ande!

LISBON REVISITED
(1923)

Não: não quero nada.
Já disse que não quero nada.

Não me venham com conclusões!
A única conclusão é morrer.

Não me tragam estéticas!
Não me falem em moral!
Tirem-me daqui a metafísica!
Não me apregoem sistemas completos, não me enfileirem conquistas
Das ciências (das ciências, Deus meu, das ciências!) –
Das ciências, das artes, da civilização moderna!

Que mal fiz eu aos deuses todos?

Se têm a verdade, guardem-a!

Sou um técnico, mas tenho técnica só dentro da técnica.
Fora disso sou doido, com todo o direito a sê-lo.
Com todo o direito a sê-lo, ouviram?

Não me macem, por amor de Deus!

Queriam-me casado, fútil, quotidiano e tributável?
Queriam-me o contrário disto, o contrário de qualquer cousa?

Se eu fosse outra pessoa, fazia-lhes, a todos, a vontade.
Assim, como sou, tenham paciência!
Vão para o diabo sem mim,
Ou deixem-me ir sozinho para o diabo!
Para que havermos de ir juntos?

Não me peguem no braço!
Não gosto que me peguem no braço. Quero ser sozinho.
Já disse que sou só sozinho!
Ah, que maçada quererem que eu seja de companhia!

Ó céu azul – o mesmo da minha infância –,
Eterna verdade vazia e perfeita!
Ó macio Tejo ancestral e mudo,
Pequena verdade onde o céu se reflecte!
Ó mágoa revisitada, Lisboa de outrora de hoje!
Nada me dais, nada me tirais, nada sois que eu me sinta.

Deixem-me em paz! Não tardo, que eu nunca tardo…
E enquanto tarda o Abismo e o Silêncio quero estar sozinho!

LISBON REVISITED
(1926)

Nada me prende a nada.
Quero cinquenta coisas ao mesmo tempo.
Anseio com uma angústia de fome de carne
O que não sei que seja –
Definidamente pelo indefinido...
Durmo irrequieto, e vivo num sonhar irrequieto
De quem dorme irrequieto, metade a sonhar.

Fecharam-me todas as portas abstractas e necessárias.
Correram cortinas de todas as hipóteses que eu poderia ver da rua.
Não há na travessa achada o número da porta que me deram.

Acordei para a mesma vida para que tinha adormecido.
Até os meus exércitos sonhados sofreram derrota.
Até os meus sonhos se sentiram falsos ao serem sonhados.
Até a vida só desejada me farta – até essa vida...

Compreendo a intervalos desconexos;
Escrevo por lapsos de cansaço;
E um tédio que é até do tédio arroja-me à praia.

Não sei que destino ou futuro compete à minha angústia sem leme;
Não sei que ilhas do Sul impossível aguardam-me náufrago;
Ou que palmares de literatura me darão ao menos um verso.

Não, não sei isto, nem outra cousa, nem cousa nenhuma...
E, no fundo do meu espírito, onde sonho o que sonhei,
Nos campos últimos da alma, onde memoro sem causa
(E o passado é uma névoa natural de lágrimas falsas),
Nas estradas e atalhos das florestas longínquas
Onde supus o meu ser,
Fogem desmantelados, últimos restos
Da ilusão final,
Os meus exércitos sonhados, derrotados sem ter sido,
As minhas coortes por existir, esfaceladas em Deus.

Outra vez te revejo,
Cidade da minha infância pavorosamente perdida...
Cidade triste e alegre, outra vez sonho aqui...
Eu? Mas sou eu o mesmo que aqui vivi, e aqui voltei,
E aqui tornei a voltar, e a voltar,
E aqui de novo tornei a voltar?
Ou somos, todos os Eu que estive aqui ou estiveram,
Uma série de contas-entes ligadas por um fio-memória,
Uma série de sonhos de mim de alguém de fora de mim?

Outra vez te revejo,
Com o coração mais longínquo, a alma menos minha.

Outra vez te revejo – Lisboa e Tejo e tudo –,
Transeunte inútil de ti e de mim,
Estrangeiro aqui como em toda a parte,
Casual na vida como na alma,
Fantasma a errar em salas de recordações,
Ao ruído dos ratos e das tábuas que rangem

No castelo maldito de ter que viver...
Outra vez te revejo,
Sombra que passa através de sombras, e brilha
Um momento a uma luz fúnebre desconhecida,
E entra na noite como um rastro de barco se perde
Na água que deixa de se ouvir...

Outra vez te revejo,
Mas, ai, a mim não me revejo!
Partiu-se o espelho mágico em que me revia idêntico,
E em cada fragmento fatídico vejo só um bocado de mim –
Um bocado de ti e de mim!...

ESCRITO NUM LIVRO ABANDONADO
EM VIAGEM

Venho dos lados de Beja.
Vou para o meio de Lisboa.
Não trago nada e não acharei nada.
Tenho o cansaço antecipado do que não acharei,
E a saudade que sinto não é nem do passado nem do futuro.
Deixo escrita neste livro a imagem do meu desígnio morto:
Fui, como ervas, e não me arrancaram.

APOSTILA

Aproveitar o tempo!
Mas o que é o tempo para que eu o aproveite?
Aproveitar o tempo!
Nenhum dia sem linha...
O trabalho honesto e superior...
O trabalho à Virgílio, à Milton...
Mas é tão difícil ser honesto ou ser superior!
E tão pouco provável ser Milton ou ser Virgílio!

Aproveitar o tempo!
Tirar da alma os bocados precisos – nem mais nem menos –
Para com eles juntar os cubos ajustados
Que fazem gravuras certas na história
(E estão certas também do lado de baixo, que se não vê)...
Pôr as sensações em castelo de cartas, pobre China dos serões,
E os pensamentos em dominó, igual contra igual,
E a vontade em carambola difícil...
Imagens de jogos ou de paciências ou de passatempos –
Imagens da vida, imagens das vidas, imagem da Vida...

Verbalismo...
Sim, verbalismo...
Aproveitar o tempo!
Não ter um minuto que o exame de consciência desconheça...
Não ter um acto indefinido nem factício...
Não ter um movimento desconforme com propósitos...

Boas-maneiras da alma...
Elegância de persistir...

Aproveitar o tempo!
Meu coração está cansado como um mendigo verdadeiro.
Meu cérebro está pronto como um fardo posto ao canto.
Meu canto (verbalismo!) está tal como está e é triste.
Aproveitar o tempo!
Desde que comecei a escrever passaram cinco minutos.
Aproveitei-os ou não?
Se não sei se os aproveitei, que saberei de outros minutos?

(Passageira que viajavas tantas vezes no mesmo compartimento comigo
No comboio suburbano,
Chegaste a interessar-te por mim?
Aproveitei o tempo olhando para ti?
Qual foi o ritmo do nosso sossego no comboio andante?
Qual foi o entendimento que não chegámos a ter?
Qual foi a vida que houve nisto? Que foi isto à vida?)

Aproveitar o tempo!...
Ah, deixem-me não aproveitar nada!
Nem tempo, nem ser, nem memórias de tempo ou de ser!
Deixem-me ser uma folha de árvore, titilada por brisas,
A poeira de uma estrada, involuntária e sozinha,
O regato casual das chuvas que vão acabando,
O vinco deixado na estrada pelas rodas enquanto não vêm outras,
O pião do garoto, que vai a parar,
E oscila, no mesmo movimento que o da terra,
E estremece, no mesmo movimento que o da alma,
E cai como caem os deuses, no chão do Destino.

GAZETILHA

Dos Lloyd Georges da Babilónia
Não reza a história nada.
Dos Briands da Assíria ou do Egipto,
Dos Trotskys de qualquer colónia
Grega ou romana já passada,
O nome é morto, inda que escrito.

Só o parvo dum poeta, ou um louco
Que fazia filosofia,
Ou um geómetra maduro,
Sobrevive a esse tanto pouco
Que está lá para trás no escuro
E nem a história já historia.

Ó grandes homens do Momento!
Ó grandes glórias a ferver
De quem a obscuridade foge!
Aproveitem sem pensamento!
Tratem da fama e do comer,
Que amanhã é dos loucos de hoje!

APONTAMENTO

A minha alma partiu-se como um vaso vazio.
Caiu pela escada excessivamente abaixo.
Caiu das mãos da criada descuidada.
Caiu, fez-se em mais pedaços do que havia loiça no vaso.

Asneira? Impossível? Sei lá!
Tenho mais sensações do que tinha quando me sentia eu.
Sou um espalhamento de cacos sobre um capacho por sacudir.

Fiz barulho na queda como um vaso que se partia.
Os deuses que há debruçam-se do parapeito da escada.
E fitam os cacos que a criada deles fez de mim.

Não se zanguem com ela.
São tolerantes com ela.
O que eu era um vaso vazio?

Olham os cacos absurdamente conscientes,
Mas conscientes de si-mesmos, não conscientes deles.

Olham e sorriem.
Sorriem tolerantes à criada involuntária.

Alastra a grande escadaria atapetada de estrelas.
Um caco brilha, virado do exterior lustroso, entre os astros.

A minha obra? A minha alma principal? A minha vida?
Um caco.
E os deuses olham-o especialmente, pois não sabem porque ficou ali.

A FERNANDO PESSOA

DEPOIS DE LER O SEU DRAMA ESTÁTICO
«O MARINHEIRO» EM «ORPHEU I»

Depois de doze minutos
Do seu drama *O Marinheiro,*
Em que os mais ágeis e astutos
Se sentem com sono e brutos,
E de sentido nem cheiro,
Diz uma das veladoras
Com langorosa magia:

De eterno e belo há apenas o sonho. Porque estamos nós falando ainda?

Ora isso mesmo é que eu ia
Perguntar a essas senhoras...

QUÁSI

Arrumar a vida, pôr prateleiras na vontade e na acção...
Quero fazer isto agora, como sempre quis, com o mesmo resultado;
Mas que bom ter o propósito claro, firme só na clareza, de fazer qualquer
coisa!
Vou fazer as malas para o Definitivo,
Organizar Álvaro de Campos,
E amanhã ficar na mesma coisa que antes de ontem – um antes de ontem
que é sempre...

Sorrio do conhecimento antecipado da coisa-nenhuma que serei...
Sorrio ao menos; sempre é alguma coisa o sorrir.

Produtos românticos, nós todos...
E se não fôssemos produtos românticos, se calhar não seríamos nada.

Assim se faz a literatura...
Coitadinhos Deuses, assim até se faz a vida!

Os outros também são românticos,
Os outros também não realizam nada, e são ricos e pobres,
Os outros também levam a vida a olhar para as malas a arrumar,
Os outros também dormem ao lado dos papéis meio compostos,
Os outros também são eu.

Vendedeira da rua cantando o teu pregão como um hino inconsciente,
Rodinha dentada na relojoaria da economia política,
Mãe, presente ou futura, de mortos no descascar dos Impérios,
A tua voz chega-me como uma chamada a parte nenhuma, como o silêncio
da vida...

Olho dos papéis que estou pensando em afinal não arrumar
Para a janela por onde não vi a vendedeira que ouvi por ela,
E o meu sorriso, que ainda não acabara, acaba no meu cérebro em metafísica.

Descri de todos os deuses diante de uma secretária por arrumar,
Fitei de frente todos os destinos pela distracção de ouvir apregoando-se,
E o meu cansaço é um barco velho que apodrece na praia deserta,
E com esta imagem de qualquer outro poeta fecho a secretária e o poema.

Como um deus, não arrumei nem a verdade nem a vida.

ADIAMENTO

Depois de amanhã, sim, só depois de amanhã...
Levarei amanhã a pensar em depois de amanhã,
E assim será possível; mas hoje não...
Não, hoje nada; hoje não posso.
A persistência confusa da minha subjectividade objectiva,
O sono da minha vida real, intercalado,
O cansaço antecipado e infinito,
Um cansaço de mundos para apanhar um eléctrico...
Esta espécie de alma...
                         Só depois de amanhã...
Hoje quero preparar-me,
Quero preparar-me para pensar amanhã no dia seguinte...
Ele é que é decisivo.
Tenho já o plano traçado; mas não, hoje não traço planos...
Amanhã é o dia dos planos.
Amanhã sentar-me-ei à secretária para conquistar o mundo;
Mas só conquistarei o mundo depois de amanhã...
Tenho vontade de chorar,
Tenho vontade de chorar muito de repente, de dentro...
Não, não queiram saber mais nada, é segredo, não digo.
Só depois de amanhã...
Quando era criança o circo de domingo divertia-me toda a semana.
Hoje só me diverte o circo de domingo de toda a semana da minha infância...
Depois de amanhã serei outro,
A minha vida triunfar-se-á,

Todas as minhas qualidades reais de inteligente, lido e prático
Serão convocadas por um edital...
Mas por um edital de amanhã...
Hoje quero dormir, redigirei amanhã...
Por hoje, qual é o espectáculo que me repetiria a infância?
Mesmo para eu comprar os bilhetes amanhã,
Que depois de amanhã é que está bem o espectáculo...
Antes, não...
Depois de amanhã terei a pose pública que amanhã estudarei.
Depois de amanhã serei finalmente o que hoje não posso nunca ser.
Só depois de amanhã...
Tenho sono como o frio de um cão vadio.
Tenho muito sono.
Amanhã te direi as palavras, ou depois de amanhã...
Sim, talvez só depois de amanhã...

O porvir...
Sim, o porvir...

ANIVERSÁRIO

No tempo em que festejavam o dia dos meus anos,
Eu era feliz e ninguém estava morto.
Na casa antiga, até eu fazer anos era uma tradição de há séculos,
E a alegria de todos, e a minha, estava certa com uma religião qualquer.

No tempo em que festejavam o dia dos meus anos,
Eu tinha a grande saúde de não perceber coisa nenhuma,
De ser inteligente para entre a família,
E de não ter as esperanças que os outros tinham por mim.
Quando vim a ter esperanças, já não sabia ter esperanças.
Quando vim a olhar para a vida, perdera o sentido da vida.

Sim, o que fui de suposto a mim-mesmo,
O que fui de coração e parentesco,
O que fui de serões de meia-província,
O que fui de amarem-me e eu ser menino,
O que fui – ai, meu Deus!, o que só hoje sei que fui...
A que distância!...
(Nem o acho...)
O tempo em que festejavam o dia dos meus anos!

O que eu sou hoje é como a humidade no corredor do fim da casa,
Pondo grelado nas paredes,
O que eu sou hoje (e a casa dos que me amaram treme através das minhas
                                                                        lágrimas),
O que eu sou hoje é terem vendido a casa,

É terem morrido todos,
É estar eu sobrevivente a mim-mesmo como um fósforo frio...

No tempo em que festejavam o dia dos meus anos...
Que meu amor, como uma pessoa, esse tempo!
Desejo físico da alma de se encontrar ali outra vez,
Por uma viagem metafísica e carnal,
Com uma dualidade de eu para mim...
Comer o passado como pão de fome, sem tempo de manteiga nos dentes!

Vejo tudo outra vez com uma nitidez que me cega para o que há aqui...
A mesa posta com mais lugares, com melhores desenhos na louça, com mais
copos,
O aparador com muitas coisas – doces, frutas, o resto na sombra debaixo do
alçado –,
As tias velhas, os primos diferentes, e tudo era por minha causa,
No tempo em que festejavam o dia dos meus anos...

Pára, meu coração!
Não penses! Deixa o pensar na cabeça!
Ó meu Deus, meu Deus, meu Deus!
Hoje já não faço anos.
Duro.
Somam-se-me dias.
Serei velho quando o for.
Mais nada.
Raiva de não ter trazido o passado roubado na algibeira!...

O tempo em que festejavam o dia dos meus anos!...

15 de Outubro de 1929

174

TRAPO

O dia deu em chuvoso.
A manhã, contudo, esteve bastante azul.
O dia deu em chuvoso.
Desde manhã eu estava um pouco triste.
Antecipação? tristeza? coisa nenhuma?
Não sei: já ao acordar estava triste.
O dia deu em chuvoso.
Bem sei: a penumbra da chuva é elegante.
Bem sei: o sol oprime, por ser tão ordinário, um elegante.
Bem sei: ser susceptível às mudanças de luz não é elegante.
Mas quem disse ao sol ou aos outros que eu quero ser elegante?
Dêem-me o céu azul e o sol visível.
Névoa, chuvas, escuros – isso tenho eu em mim.
Hoje quero só sossego.
Até amaria o lar, desde que o não tivesse.
Chego a ter sono de ter vontade de ter sossego.
Não exageremos!
Tenho efectivamente sono, sem explicação.
O dia deu em chuvoso.

Carinhos? afectos? São memórias...
É preciso ser-se criança para os ter...
Minha madrugada perdida, meu céu azul verdadeiro!
O dia deu em chuvoso.

Boca bonita da filha do caseiro,
Polpa de fruta de um coração por comer...
Quando foi isso? Não sei...
No azul da manhã...

O dia deu em chuvoso.

AH, UM SONETO...

Meu coração é um almirante louco
Que abandonou a profissão do mar
E que a vai relembrando pouco a pouco
Em casa a passear, a passear...

No movimento (eu mesmo me desloco
Nesta cadeira, só de o imaginar)
O mar abandonado fica em foco
Nos músculos cansados de parar.

Há saudades nas pernas e nos braços.
Há saudades no cérebro por fora.
Há grandes raivas feitas de cansaços.

Mas – esta é boa! – era do coração
Que eu falava... e onde diabo estou eu agora
Com almirante em vez de sensação?...

QUERO ACABAR ENTRE ROSAS, porque as amei na infância.
Os crisântemos de depois, desfolhei-os a frio.
Falem pouco, devagar.
Que eu não oiça, sobretudo com o pensamento.
O que quis? Tenho as mãos vazias,
Crispadas flebilmente sobre a colcha longínqua.
O que pensei? Tenho a boca seca, abstracta.
O que vivi? Era tão bom dormir!

TABACARIA

Não sou nada.
Nunca serei nada.
Não posso querer ser nada.
À parte isso, tenho em mim todos os sonhos do mundo.

Janelas do meu quarto,
Do meu quarto de um dos milhões do mundo que ninguém sabe quem é
(E se soubessem quem é, o que saberiam?),
Dais para o mistério de uma rua cruzada constantemente por gente,
Para uma rua inacessível a todos os pensamentos,
Real, impossivelmente real, certa, desconhecidamente certa,
Com o mistério das coisas por baixo das pedras e dos seres,
Com a morte a pôr humidade nas paredes e cabelos brancos nos homens,
Com o Destino a conduzir a carroça de tudo pela estrada de nada.

Estou hoje vencido, como se soubesse a verdade.
Estou hoje lúcido, como se estivesse para morrer,
E não tivesse mais irmandade com as coisas
Senão uma despedida, tornando-se esta casa e este lado da rua
A fileira de carruagens de um comboio, e uma partida apitada
De dentro da minha cabeça,
E uma sacudidela dos meus nervos e um ranger de ossos na ida.

Estou hoje perplexo, como quem pensou e achou e esqueceu.
Estou hoje dividido entre a lealdade que devo

À Tabacaria do outro lado da rua, como coisa real por fora,
E à sensação de que tudo é sonho, como coisa real por dentro.

Falhei em tudo.
Como não fiz propósito nenhum, talvez tudo fosse nada.
A aprendizagem que me deram,
Desci dela pela janela das traseiras da casa.
Fui até ao campo com grandes propósitos.
Mas lá encontrei só ervas e árvores,
E quando havia gente era igual à outra.
Saio da janela, sento-me numa cadeira. Em que hei-de pensar?

Que sei eu do que serei, eu que não sei o que sou?
Ser o que penso? Mas penso ser tanta coisa!
E há tantos que pensam ser a mesma coisa que não pode haver tantos!
Génio? Neste momento
Cem mil cérebros se concebem em sonho génios como eu,
E a história não marcará, quem sabe?, nem um,
Nem haverá senão estrume de tantas conquistas futuras.
Não, não creio em mim.
Em todos os manicómios há doidos malucos com tantas certezas!
Eu, que não tenho nenhuma certeza, sou mais certo ou menos certo?
Não, nem em mim…
Em quantas mansardas e não-mansardas do mundo
Não estão nesta hora génios-para-si-mesmos sonhando?
Quantas aspirações altas e nobres e lúcidas –,
Sim, verdadeiramente altas e nobres e lúcidas –,
E quem sabe se realizáveis,
Nunca verão a luz do sol real nem acharão ouvidos de gente?
O mundo é para quem nasce para o conquistar
E não para quem sonha que pode conquistá-lo, ainda que tenha razão.

Tenho sonhado mais que o que Napoleão fez.
Tenho apertado ao peito hipotético mais humanidades do que Cristo.
Tenho feito filosofias em segredo que nenhum Kant escreveu.
Mas sou, e talvez serei sempre, o da mansarda,
Ainda que não more nela;
Serei sempre *o que não nasceu para isso*;
Serei sempre só *o que tinha qualidades*;
Serei sempre o que esperou que lhe abrissem a porta ao pé de uma parede sem
porta,
E cantou a cantiga do Infinito numa capoeira,
E ouviu a voz de Deus num poço tapado.
Crer em mim? Não, nem em nada.
Derrame-me a Natureza sobre a cabeça ardente
O seu sol, a sua chuva, o vento que me acha o cabelo,
E o resto que venha se vier, ou tiver que vir, ou não venha.
Escravos cardíacos das estrelas,
Conquistámos todo o mundo antes de nos levantar da cama;
Mas acordámos e ele é opaco,
Levantámo-nos e ele é alheio,
Saímos de casa e ele é a terra inteira,
Mais o sistema solar e a Via Láctea e o Indefinido.

(Come chocolates, pequena;
Come chocolates!
Olha que não há mais metafísica no mundo senão chocolates.
Olha que as religiões todas não ensinam mais que a confeitaria.
Come, pequena suja, come!
Pudesse eu comer chocolates com a mesma verdade com que comes!
Mas eu penso e, ao tirar o papel de prata, que é de folha de estanho,
Deito tudo para o chão, como tenho deitado a vida.)

Mas ao menos fica da amargura do que nunca serei
A caligrafia rápida destes versos,
Pórtico partido para o Impossível.
Mas ao menos consagro a mim mesmo um desprezo sem lágrimas,
Nobre ao menos no gesto largo com que atiro
A roupa suja que sou, sem rol, pra o decurso das coisas,
E fico em casa sem camisa.

(Tu, que consolas, que não existes e por isso consolas,
Ou deusa grega, concebida como estátua que fosse viva,
Ou patrícia romana, impossivelmente nobre e nefasta,
Ou princesa de trovadores, gentilíssima e colorida,
Ou marquesa do século dezoito, decotada e longínqua,
Ou cocotte célebre do tempo dos nossos pais,
Ou não sei quê moderno – não concebo bem o quê –,
Tudo isso, seja o que for, que sejas, se pode inspirar que inspire!
Meu coração é um balde despejado.
Como os que invocam espíritos invocam espíritos invoco
A mim mesmo e não encontro nada.
Chego à janela e vejo a rua com uma nitidez absoluta.
Vejo as lojas, vejo os passeios, vejo os carros que passam,
Vejo os entes vivos vestidos que se cruzam,
Vejo os cães que também existem,
E tudo isto me pesa como uma condenação ao degredo,
E tudo isto é estrangeiro, como tudo.)

Vivi, estudei, amei, e até cri,
E hoje não há mendigo que eu não inveje só por não ser eu.
Olho a cada um os andrajos e as chagas e a mentira,
E penso: talvez nunca vivesses nem estudasses nem amasses nem cresses

(Porque é possível fazer a realidade de tudo isso sem fazer nada disso);
Talvez tenhas existido apenas, como um lagarto a quem cortam o rabo
E que é rabo para aquém do lagarto remexidamente.

Fiz de mim o que não soube,
E o que podia fazer de mim não o fiz.
O dominó que vesti era errado.
Conheceram-me logo por quem não era e não desmenti, e perdi-me.
Quando quis tirar a máscara,
Estava pegada à cara.
Quando a tirei e me vi ao espelho,
Já tinha envelhecido.
Estava bêbado, já não sabia vestir o dominó que não tinha tirado.

Deitei fora a máscara e dormi no vestiário
Como um cão tolerado pela gerência
Por ser inofensivo
E vou escrever esta história para provar que sou sublime.

Essência musical dos meus versos inúteis,
Quem me dera encontrar-te como coisa que eu fizesse,
E não ficasse sempre defronte da Tabacaria de defronte,
Calcando aos pés a consciência de estar existindo,
Como um tapete em que um bêbado tropeça
Ou um capacho que os ciganos roubaram e não valia nada.

Mas o Dono da Tabacaria chegou à porta e ficou à porta.
Olho-o com o desconforto da cabeça mal voltada
E com o desconforto da alma mal-entendendo.
Ele morrerá e eu morrerei.

Ele deixará a tabuleta, eu deixarei versos.
A certa altura morrerá a tabuleta também, e os versos também.
Depois de certa altura morrerá a rua onde esteve a tabuleta,
E a língua em que foram escritos os versos.
Morrerá depois o planeta girante em que tudo isto se deu.
Em outros satélites de outros sistemas qualquer coisa como gente
Continuará fazendo coisas como versos e vivendo por baixo de coisas como
                                                                    tabuletas,
Sempre uma coisa defronte da outra,
Sempre uma coisa tão inútil como a outra,
Sempre o impossível tão estúpido como o real,
Sempre o mistério do fundo tão certo como o sono de mistério da superfície,
Sempre isto ou sempre outra coisa ou nem uma coisa nem outra.

Mas um homem entrou na Tabacaria (para comprar tabaco?),
E a realidade plausível cai de repente em cima de mim.
Semiergo-me enérgico, convencido, humano,
E vou tencionar escrever estes versos em que digo o contrário.

Acendo um cigarro ao pensar em escrevê-los
E saboreio no cigarro a libertação de todos os pensamentos.
Sigo o fumo como a uma rota própria,
E gozo, num momento sensitivo e competente,
A libertação de todas as especulações
E a consciência de que a metafísica é uma consequência de estar mal disposto.

Depois deito-me para trás na cadeira
E continuo fumando.
Enquanto o Destino mo conceder, continuarei fumando.

(Se eu casasse com a filha da minha lavadeira
Talvez fosse feliz.)
Visto isto, levanto-me da cadeira. Vou à janela.

O homem saiu da Tabacaria (metendo troco na algibeira das calças?).
Ah, conheço-o: é o Esteves sem metafísica.
(O Dono da Tabacaria chegou à porta.)
Como por um instinto divino o Esteves voltou-se e viu-me.
Acenou-me adeus, gritei-lhe *Adeus ó Esteves!*, e o universo
Reconstruiu-se-me sem ideal nem esperança, e o Dono da Tabacaria sorriu.

Lisboa, 15 de Janeiro de 1928.

Ricardo Reis

ODES

LIVRO PRIMEIRO

I

Seguro assento na coluna firme
    Dos versos em que fico,
Nem temo o influxo inúmero futuro
    Dos tempos e do olvido;
Que a mente, quando, fixa, em si contempla
    Os reflexos do mundo,
Deles se plasma torna, e à arte o mundo
    Cria, que não a mente.
Assim na placa o externo instante grava
    Seu ser, durando nela.

II

As rosas amo do jardim de Adónis,
Esses volucres amo, Lídia, rosas,
    Que em o dia em que nascem,
    Em esse dia morrem.
A luz para elas é eterna, porque
Nascem nascido já o sol, e acabam

Antes que Apolo deixe
O seu curso visível.
Assim façamos nossa vida *um dia*,
Inscientes, Lídia, voluntariamente,
Que há noite antes e após
O pouco que duramos.

III

O mar jaz; gemem em segredo os ventos
    Em Eolo cativos;
Só com as pontas do tridente as vastas
    Águas franze Neptuno;
E a praia é alva e cheia de pequenos
    Brilhos sob o sol claro.
Inutilmente parecemos grandes.
    Nada, no alheio mundo,
Nossa vista grandeza reconhece
    Ou com razão nos serve.
Se aqui de um manso mar meu fundo indício
    Três ondas o apagam,
Que me fará o mar que na atra praia
    Ecoa de Saturno?

IV

Não consentem os deuses mais que a vida.
Tudo pois refusemos, que nos alce

A irrespiráveis píncaros,
Perenes sem ter flores.
Só de aceitar tenhamos a ciência,
E, enquanto bate o sangue em nossas fontes,
Nem se engelha connosco
O mesmo amor, duremos,
Como vidros, às luzes transparentes
E deixando escorrer a chuva triste,
Só mornos ao sol quente,
E reflectindo um pouco.

V

Como se cada beijo
Fora de despedida,
Minha Cloé, beijemo-nos, amando.
Talvez que já nos toque
No ombro a mão, que chama
À barca que não vem senão vazia;
E que no mesmo feixe
Ata o que mútuos fomos
E a alheia soma universal da vida.

VI

O ritmo antigo que há em pés descalços,
Esse ritmo das ninfas repetido,
Quando sob o arvoredo

Batem o som da dança,
Vós na alva praia relembrai, fazendo,
Que scura a spuma deixa; vós, infantes,
    Que inda não tendes cura
    De ter cura, reponde
Ruidosa a roda, enquanto arqueia Apolo,
Como um ramo alto, a curva azul que doura,
    E a perene maré
    Flui, enchente ou vazante.

VII

Ponho na altiva mente o fixo esforço
    Da altura, e à sorte deixo,
    E a suas leis, o verso;
Que, quando é alto e régio o pensamento,
    Súbdita a frase o busca
    E o scravo ritmo o serve.

VIII

Quão breve tempo é a mais longa vida
E a juventude nela! Ah Cloé, Cloé,
    Se não amo, nem bebo,
    Nem sem querer não penso,
Pesa-me a lei inimplorável, dói-me
A hora invita, o tempo que não cessa,
    E aos ouvidos me sobe

Dos juncos o ruído
Na oculta margem onde os lírios frios
Da ínfera leiva crescem, e a corrente
Não sabe onde é o dia,
Sussurro gemebundo.

IX

Coroai-me de rosas,
Coroai-me em verdade
De rosas –
Rosas que se apagam
Em fronte a apagar-se
Tão cedo!
Coroai-me de rosas
E de folhas breves.
E basta.

X

Melhor destino que o de conhecer-se
Não frui quem mente frui. Antes, sabendo,
Ser nada, que ignorando:
Nada dentro de nada.
Se não houver em mim poder que vença
As parcas três e as moles do futuro,
Já me dêem os deuses
O poder de sabê-lo;

E a beleza, incriável, por meu sestro,
Eu goze externa e dada, repetida
        Em meus passivos olhos,
        Lagos que a morte seca.

XI

Temo, Lídia, o destino. Nada é certo.
Em qualquer hora pode suceder-nos
        O que nos tudo mude.
Fora do conhecido é estranho o passo
Que próprio damos. Graves nomes guardam
        As lindas do que é uso.
Não somos deuses: cegos, receemos,
E a parca dada vida anteponhamos
        À novidade, abismo.

XII

A flor que és, não a que dás, eu quero.
Porque me negas o que te não peço?
        Tempo há para negares
        Depois de teres dado.
Flor, sê-me flor! Se te colher avaro
A mão da infausta sfinge, tu perene
        Sombra errarás absurda,
        Buscando o que não deste.

XIII

Olho os campos, Neera,
Campos, campos, e sofro
Já o frio da sombra
Em que não terei olhos.
A caveira antessinto
Que serei não sentindo,
Ou só quanto o que ignoro
Me incógnito ministre.
E menos ao instante
Choro, que a mim futuro,
Súbdito ausente e nulo
Do universal destino.

XIV

De novo traz as aparentes novas
Flores o verão novo, e novamente
      Verdesce a cor antiga
      Das folhas redivivas.
Não mais, não mais dele o infecundo abismo,
Que mudo sorve o que mal somos, torna
      À clara luz superna
      A presença vivida.
Não mais; e a prole a que, pensando, dera
A vida da razão, em vão o chama,
      Que as nove chaves fecham
      Da Stige irreversível.

O que foi como um deus entre os que cantam,
O que do Olimpo as vozes, que chamavam,
    Scutando ouviu, e, ouvindo,
    Entendeu, hoje é nada.
Tecei embora as, que teceis, grinaldas.
Quem coroais, não coroando a ele?
    Votivas as deponde,
    Fúnebres sem ter culto.
Fique, porém, livre da leiva e do Orco,
A fama; e tu, que Ulisses erigira,
    Tu, em teus sete montes,
    Orgulha-te materna,
Igual, desde ele, às sete que contendem
Cidades por Homero, ou alcaica Lesbos,
    Ou heptápila Tebas,
    Ogígia mãe de Píndaro.

XV

Este, seu scasso campo ora lavrando,
Ora, solene, olhando-o com a vista
De quem a um filho olha, goza incerto
    A não-pensada vida.
Das fingidas fronteiras a mudança
O arado lhe não tolhe, nem o empece
Per que concílios se o destino rege
    Dos povos pacientes.
Pouco mais no presente do futuro
Que as ervas que arrancou, seguro vive

A antiga vida que não torna, e fica
Filhos, diversa e sua.

XVI

Tuas, não minhas, teço estas grinaldas,
Que em minha fronte renovadas ponho.
   Para mim tece as tuas,
    Que as minhas eu não vejo.
Se não pesar na vida melhor gozo
Que o vermo-nos, vejamo-nos, e, vendo,
   Surdos conciliemos
    O insubsistente surdo.
Coroemo-nos pois uns para os outros,
E brindemos uníssonos à sorte
   Que houver, até que chegue
    A hora do barqueiro.

XVII

Não queiras, Lídia, edificar no spaço
Que figuras futuro, ou prometer-te
Amanhã. Cumpre-te hoje, não sperando.
   Tu mesma és tua vida.
Não te destines, que não és futura.
Quem sabe se, entre a taça que esvazias,
E ela de novo enchida, não te a sorte
   Interpõe o abismo?

XVIII

Saudoso já deste verão que vejo,
Lágrimas para as flores dele emprego
    Na lembrança invertida
    De quando hei-de perdê-las.
Transpostos os portais irreparáveis
De cada ano, me antecipo a sombra
    Em que hei-de errar, sem flores,
    No abismo rumoroso.
E colho a rosa porque a sorte manda.
Marcenda, guardo-a; murche-se comigo
    Antes que com a curva
    Diurna da ampla terra.

XIX

    Prazer, mas devagar,
Lídia, que a sorte àqueles não é grata
    Que lhe das mãos arrancam.
Furtivos retiremos do horto mundo
    Os depredandos pomos.
Não despertemos, onde dorme, a erinis
    Que cada gozo trava.
Como um regato, mudos passageiros,
    Gozemos escondidos.
A sorte inveja, Lídia. Emudeçamos.

XX

Cuidas, ínvio, que cumpres, apertando
Teus infecundos, trabalhosos dias
    Em feixes de hirta lenha,
    Sem ilusão a vida.
A tua lenha é só peso que levas
Para onde não tens fogo que te aqueça.
    Nem sofrem peso aos ombros
    As sombras que seremos.
Para folgar não folgas; e, se legas,
Antes legues o exemplo, que riquezas,
    De como a vida basta
    Curta, nem também dura.
Pouco usamos do pouco que mal temos.
A obra cansa, o ouro não é nosso.
    De nós a mesma fama
    Ri-se, que a não veremos
Quando, acabados pelas parcas, formos,
Vultos solenes, de repente antigos,
    E cada vez mais sombras,
    Ao encontro fatal –
O barco escuro no soturno rio,
E os nove abraços da frieza stígia
    E o regaço insaciável
    Da pátria de Plutão.

TRÊS ODES

Não só vinho, mas nele o olvido, deito
Na taça: serei ledo, porque a dita
　　　É ignara. Quem, lembrando
　　　Ou prevendo, sorrira?
Dos brutos, não a vida, senão a alma,
Consigamos, pensando; recolhidos
　　　No impalpável destino
　　　Que não spera nem lembra.
Com mão mortal elevo à mortal boca
Em frágil taça o passageiro vinho,
　　　Baços os olhos feitos
　　　Para deixar de ver.

Quanta tristeza e amargura afoga
Em confusão a streita vida! Quanto
　　　Infortúnio mesquinho
　　　Nos oprime supremo!
Feliz ou o bruto que nos verdes campos
Pasce, para si mesmo anónimo, e entra
　　　Na morte como em casa;
　　　Ou o sábio que, perdido

Na ciência, a fútil vida austera eleva
Além da nossa, como o fumo que ergue
    Braços que se desfazem
    A um céu inexistente.

A nada imploram tuas mãos já coisas,
Nem convencem teus lábios já parados,
    No abafo subterrâneo
    Da húmida imposta terra.
Só talvez o sorriso com que amavas
Te embalsama remota, e nas memórias
    Te ergue qual eras, hoje
    Cortiço apodrecido.
E o nome inútil que teu corpo morto
Usou, vivo, na terra, como uma alma,
    Não lembra. A ode grava,
    Anónimo, um sorriso.

ODE

O rastro breve que das ervas moles
Ergue o pé findo, o eco que oco coa,
    A sombra que se adumbra,
    O branco que a nau larga –
Nem maior nem melhor deixa a alma às almas,
O ido aos indos. A lembrança esquece.
    Mortos, inda morremos,
    Lídia, somos só nossos.

ODE

Já sobre a fronte vã se me acinzenta
O cabelo do jovem que perdi.
      Meus olhos brilham menos.
Já não tem jus a beijos minha boca.
Se me ainda amas, por amor não ames:
      Traíras-me comigo.

DUAS ODES

Quando, Lídia, vier o nosso outono
Com o inverno que há nele, reservemos
Um pensamento, não para a futura
    Primavera, que é de outrem,
Nem para o estio, de quem somos mortos,
Senão para o que fica do que passa –
O amarelo actual que as folhas vivem
    E as torna diferentes.

Ténue, como se de Éolo a esquecessem,
A brisa da manhã titila o campo,
    E há começo do sol.
Não desejemos, Lídia, nesta hora
Mais sol do que ela, nem mais alta brisa
    Que a que é pequena e existe.

ODE

Para ser grande, sê inteiro: nada
   Teu exagera ou exclui.
Sê todo em cada coisa. Põe quanto és
   No mínimo que fazes.
Assim em cada lago a lua toda
   Brilha, porque alta vive.

Alberto Caeiro

DE «O GUARDADOR DE REBANHOS»
(1911-1912)

I

Eu nunca guardei rebanhos,
Mas é como se os guardasse.
Minha alma é como um pastor,
Conhece o vento e o sol
E anda pela mão das Estações
A seguir e a olhar.
Toda a paz da Natureza sem gente
Vem sentar-se a meu lado.
Mas eu fico triste como um pôr-de-sol
Para a nossa imaginação,
Quando esfria no fundo da planície
E se sente a noite entrada
Como uma borboleta pela janela.

Mas a minha tristeza é sossego
Porque é natural e justa
E é o que deve estar na alma
Quando já pensa que existe
E as mãos colhem flores sem ela dar por isso.

Como um ruído de chocalhos
Para além da curva da estrada,
Os meus pensamentos são contentes.

Só tenho pena de saber que eles são contentes,
Porque, se o não soubesse,
Em vez de serem contentes e tristes,
Seriam alegres e contentes.

Pensar incomoda como andar à chuva
Quando o vento cresce e parece que chove mais.

Não tenho ambições nem desejos.
Ser poeta não é uma ambição minha.
É a minha maneira de estar sozinho.

E se desejo às vezes,
Por imaginar, ser cordeirinho
(Ou ser o rebanho todo
Para andar espalhado por toda a encosta
A ser muita cousa feliz ao mesmo tempo),
É só por que sinto o que escrevo ao pôr-do-sol,
Ou quando uma nuvem passa a mão por cima da luz
E corre um silêncio pela erva fora.

Quando me sento a escrever versos
Ou, passeando pelos caminhos ou pelos atalhos,
Escrevo versos num papel que está no meu pensamento,
Sinto um cajado nas mãos
E vejo um recorte de mim
No cimo dum outeiro,
Olhando para o meu rebanho e vendo as minhas ideias
Ou olhando para as minhas ideias e vendo o meu rebanho,

E sorrindo vagamente como quem não compreende o que se diz
E quer fingir que compreende.

Saúdo todos os que me lerem,
Tirando-lhes o chapéu largo
Quando me vêem à minha porta
Mal a diligência levanta no cimo do outeiro.
Saúdo-os e desejo-lhes sol,
E chuva, quando a chuva é precisa,
E que as suas casas tenham
Ao pé duma janela aberta
Uma cadeira predilecta
Onde se sentem, lendo os meus versos.
E ao lerem os meus versos pensem
Que sou qualquer cousa natural –
Por exemplo, a árvore antiga
À sombra da qual quando crianças
Se sentavam com um baque, cansados de brincar,
E limpavam o suor da testa quente
Com a manga do bibe riscado.

V

Há metafísica bastante em não pensar em nada.

O que penso eu do mundo?
Sei lá o que penso do mundo!
Se eu adoecesse pensaria nisso.

Que ideia tenho eu das cousas?
Que opinião tenho sobre as causas e os efeitos?
Que tenho eu meditado sobre Deus e a alma
E sobre a criação do mundo?
Não sei. Para mim pensar nisso é fechar os olhos
E não pensar. É correr as cortinas
Da minha janela (mas ela não tem cortinas).

O mistério das cousas? Sei lá o que é mistério!
O único mistério é haver quem pense no mistério.
Quem está ao sol e fecha os olhos,
Começa a não saber o que é o sol
E a pensar muitas cousas cheias de calor.
Mas abre os olhos e vê o sol,
E já não pode pensar em nada,
Porque a luz do sol vale mais que os pensamentos
De todos os filósofos e de todos os poetas.
A luz do sol não sabe o que faz
E por isso não erra e é comum e boa.

Metafísica? Que metafísica têm aquelas árvores?
A de serem verdes e copadas e de terem ramos
E a de dar fruto na sua hora, o que não nos faz pensar,
A nós, que não sabemos dar por elas.
Mas que melhor metafísica que a delas,
Que é a de não saber para que vivem
Nem saber que o não sabem?

«Constituição íntima das cousas»…
«Sentido íntimo do universo»…

Tudo isto é falso, tudo isto não quer dizer nada.
É incrível que se possa pensar em cousas dessas.
É como pensar em razões e fins
Quando o começo da manhã está raiando, e pelos lados das árvores
Um vago ouro lustroso vai perdendo a escuridão.

Pensar no sentido íntimo das cousas
É acrescentado, é como pensar na saúde
Ou levar um copo à água das fontes.

O único sentido íntimo das cousas
É elas não terem sentido íntimo nenhum.

Não acredito em Deus porque nunca o vi.
Se ele quisesse que eu acreditasse nele,
Sem dúvida que viria falar comigo
E entraria pela minha porta dentro
Dizendo-me, *Aqui estou!*

(Isto é talvez ridículo aos ouvidos
De quem, por não saber o que é olhar para as cousas,
Não compreende quem fala delas
Com o modo de falar que reparar para elas ensina.)

Mas se Deus é as flores e as árvores
E os montes e sol e o luar,
Então acredito nele,
Então acredito nele a toda a hora,
E a minha vida é toda uma oração e uma missa,
E uma comunhão com os olhos e pelos ouvidos.

Mas se Deus é as árvores e as flores
E os montes e o luar e o sol,
Para que lhe chamo eu Deus?
Chamo-lhe flores e árvores e montes e sol e luar;
Porque, se ele se fez, para eu o ver,
Sol e luar e flores e árvores e montes,
Se ele me aparece como sendo árvores e montes
E luar e sol e flores,
É que ele quer que eu o conheça
Como árvores e montes e flores e luar e sol.

E por isso eu obedeço-lhe,
(Que mais sei eu de Deus que Deus de si-próprio?),
Obedeço-lhe a viver, espontaneamente,
Como quem abre os olhos e vê,
E chamo-lhe luar e sol e flores e árvores e montes,
E amo-o sem pensar nele,
E penso-o vendo e ouvindo,
E ando com ele a toda a hora.

IX

Sou um guardador de rebanhos.
O rebanho é os meus pensamentos
E os meus pensamentos são todos sensações.
Penso com os olhos e com os ouvidos
E com as mãos e os pés
E com o nariz e a boca.

Pensar uma flor é vê-la e cheirá-la
E comer um fruto é saber-lhe o sentido.

Por isso quando num dia de calor
Me sinto triste de gozá-lo tanto,
E me deito ao comprido na erva,
E fecho os olhos quentes,
Sinto todo o meu corpo deitado na realidade,
Sei a verdade e sou feliz.

X

«Olá, guardador de rebanhos,
Aí à beira da estrada,
Que te diz o vento que passa?»

«Que é vento, e que passa,
E que já passou antes,
E que passará depois.
E a ti o que te diz?»

«Muita cousa mais do que isso.
Fala-me de muitas outras cousas.
De memórias e de saudades
E de cousas que nunca foram.»

«Nunca ouviste passar o vento.
O vento só fala do vento.
O que lhe ouviste foi mentira,
E a mentira está em ti.»

XIII

Leve, leve, muito leve,
Um vento muito leve passa,
E vai-se, sempre muito leve.
E eu não sei o que penso
Nem procuro sabê-lo.

XX

O Tejo é mais belo que o rio que corre pela minha aldeia,
Mas o Tejo não é mais belo que o rio que corre pela minha aldeia
Porque o Tejo não é o rio que corre pela minha aldeia.

O Tejo tem grandes navios
E navega nele ainda,
Para aqueles que vêem em tudo o que lá não está,
A memória das naus.

O Tejo desce de Espanha
E o Tejo entra no mar em Portugal.
Toda a gente sabe isso.
Mas poucos sabem qual é o rio da minha aldeia
E para onde ele vai
E donde ele vem.
E por isso, porque pertence a menos gente,
É mais livre e maior o rio da minha aldeia.

Pelo Tejo vai-se para o mundo.
Para além do Tejo há a América

E a fortuna daqueles que a encontram.
Ninguém nunca pensou no que há para além
Do rio da minha aldeia.

O rio da minha aldeia não faz pensar em nada.
Quem está ao pé dele está só ao pé dele.

XXIV

O que nós vemos das cousas são as cousas.
Porque veríamos nós uma cousa se houvesse outra?
Porque é que ver e ouvir seriam iludirmo-nos
Se ver e ouvir são ver e ouvir?

O essencial é saber ver,
Saber ver sem estar a pensar,
Saber ver quando se vê,
E nem pensar quando se vê
Nem ver quando se pensa.

Mas isso (tristes de nós que trazemos a alma vestida!),
Isso exige um estudo profundo,
Uma aprendizagem de desaprender
E uma sequestração na liberdade daquele convento
De que os poetas dizem que as estrelas são as freiras eternas
E as flores as penitentes convictas de um só dia,
Mas onde afinal as estrelas não são senão estrelas
Nem as flores senão flores,
Sendo por isso que lhes chamamos estrelas e flores.

XXV

As bolas de sabão que esta criança
Se entretém a largar de uma palhinha
São translucidamente uma filosofia toda.
Claras, inúteis e passageiras como a Natureza,
Amigas dos olhos como as cousas,
São aquilo que são
Com uma precisão redondinha e aérea,
E ninguém, nem mesmo a criança que as deixa,
Pretende que elas são mais do que parecem ser.

Algumas mal se vêem no ar lúcido.
São como a brisa que passa e mal toca nas flores
E que nós sabemos que passa
Porque qualquer cousa se aligeira em nós
E aceita tudo mais nitidamente.

XXVI

Às vezes, em dias de luz perfeita e exacta,
Em que as cousas têm toda a realidade que podem ter,
Pergunto a mim-próprio devagar
Porque sequer atribuo eu
Beleza às cousas.

Uma flor acaso tem beleza?
Tem beleza acaso um fruto?
Não: têm cor e forma
E existência apenas.

A beleza é o nome de qualquer coisa que não existe
Que eu dou às cousas em troca do agrado que me dão.
Não significa nada.
Então porque digo eu das cousas: são belas?

Sim, mesmo a mim, que vivo só de viver,
Invisíveis, vêm ter comigo as mentiras dos homens
Perante as cousas,
Perante as cousas que simplesmente existem.

Que difícil ser próprio e não ver senão o visível!

XXVIII

Li hoje quasi duas páginas
Do livro dum poeta místico,
E ri como quem tem chorado muito.
Os poetas místicos são filósofos doentes,
E os filósofos são homens doidos.

Porque os poetas místicos dizem que as flores sentem
E dizem que as pedras têm alma
E que os rios têm êxtases ao luar.

Mas as flores, se sentissem, não eram flores,
Eram gente;
E se as pedras tivessem alma, eram cousas vivas, não eram pedras;
E se os rios tivessem êxtases ao luar,
Os rios seriam homens doentes.

É preciso não saber o que são flores e pedras e rios
Para falar dos sentimentos deles.
Falar da alma das pedras, das flores, dos rios,
É falar de si-próprio e dos seus falsos pensamentos.
Graças a Deus que as pedras são só pedras,
E que os rios não são senão rios,
E que as flores são apenas flores.

Por mim, escrevo a prosa dos meus versos
E fico contente,
Porque sei que compreendo a Natureza por fora;
E não a compreendo por dentro
Porque a Natureza não tem dentro;
Senão não era a Natureza.

XXX

Se quiserem que eu tenha um misticismo, está bem, tenho-o.
Sou místico, mas só com o corpo.
A minha alma é simples e não pensa.

O meu misticismo é não querer saber.
É viver e não pensar nisso.

Não sei o que é a Natureza: canto-a.
Vivo no cimo dum outeiro
Numa casa caiada e sozinha,
E essa é a minha definição.

XXXII

Ontem à tarde um homem das cidades
Falava à porta da estalagem.
Falava comigo também
Falava da justiça e da luta para haver justiça
E dos operários que sofrem,
E do trabalho constante, e dos que têm fome,
E dos ricos, que só têm costas para isso.

E, olhando para mim, viu-me lágrimas nos olhos
E sorriu com agrado, julgando que eu sentia
O ódio que ele sentia, e a compaixão
Que ele dizia que sentia.

(Mas eu mal o estava ouvindo.
Que me importam a mim os homens
E o que sofrem ou supõem que sofrem?
Sejam como eu – não sofrerão.
Todo o mal do mundo vem de nos importarmos uns com os outros,
Quer para fazer bem, quer para fazer mal.
A nossa alma e o céu e a terra bastam-nos.
Querer mais é perder isto, e ser infeliz.)

Eu no que estava pensando
Quando o amigo de gente falava
(E isso me comoveu até às lágrimas),
Era em como o murmúrio longínquo dos chocalhos
A esse entardecer
Não parecia os sinos duma capela pequenina

A que fossem à missa as flores e os regatos
E as almas simples como a minha.

(Louvado seja Deus que não sou bom,
E tenho o egoísmo natural das flores
E dos rios que seguem o seu caminho
Preocupados sem o saber
Só com florir e ir correndo.
É essa a única missão no mundo,
Essa – existir claramente,
E saber fazê-lo sem pensar nisso.)

E o homem calara-se, olhando o poente.
Mas que tem com o poente quem odeia e ama?

XXXV

O luar através dos altos ramos,
Dizem os poetas todos que ele é mais
Que o luar através dos altos ramos.

Mas para mim, que não sei o que penso,
O que o luar através dos altos ramos
É, além de ser
O luar através dos altos ramos,
É não ser mais
Que o luar através dos altos ramos.

XXXVII

Como um grande borrão de fogo sujo
O sol-posto demora-se nas nuvens que ficam.
Vem um silvo vago de longe na tarde muito calma.
Deve ser dum comboio longínquo.

Neste momento vem-me uma vaga saudade
E um vago desejo plácido
Que aparece e desaparece.

Também às vezes, à flor dos ribeiros,
Formam-se bolhas na água
Que nascem e se desmancham
E não têm sentido nenhum
Salvo serem bolhas de água
Que nascem e se desmancham.

XXXIX

O mistério das cousas, onde está ele?
Onde está ele que não aparece
Pelo menos a mostrar-nos que é mistério?
Que sabe o rio disso e que sabe a árvore?
E eu, que não sou mais do que eles, que sei disso?
Sempre que olho para as cousas e penso no que os homens pensam delas,
Rio como um regato que soa fresco numa pedra.

Porque o único sentido oculto das cousas
É elas não terem sentido oculto nenhum.

É mais estranho do que todas as estranhezas
E do que os sonhos de todos os poetas
E os pensamentos de todos os filósofos,
Que as cousas sejam realmente o que parecem ser
E não haja nada que compreender.

Sim, eis o que os meus sentidos aprenderam sozinhos: –
As cousas não têm significação: têm existência.
As cousas são o único sentido oculto das cousas.

XL

Passa uma borboleta por diante de mim
E pela primeira vez no universo eu reparo
Que as borboletas não têm cor nem movimento,
Assim como as flores não têm perfume nem cor.
A cor é que tem cor nas asas da borboleta,
No movimento da borboleta o movimento é que se move,
O perfume é que tem perfume no perfume da flor.
A borboleta é apenas borboleta
E a flor é apenas flor.

XLII

Passou a diligência pela estrada, e foi-se;
E a estrada não ficou mais bela, nem sequer mais feia.
Assim é a acção humana pelo mundo fora.
Nada tiramos e nada pomos; passamos e esquecemos;
E o sol é sempre pontual todos os dias.

XLIII

Antes o voo da ave, que passa e não deixa rasto,
Que a passagem do animal, que fica lembrada no chão.
A ave passa e esquece, e assim deve ser.
O animal, onde já não está e por isso de nada serve,
Mostra que já esteve, o que não serve para nada.

A recordação é uma traição à Natureza,
Porque a Natureza de ontem não é Natureza.
O que foi não é nada, e lembrar é não ver.

Passa, ave, passa e ensina-me a passar!

XLV

Um renque de árvores lá longe, lá para a encosta.
Mas o que é um renque de árvores? Há árvores apenas.
Renque e o plural árvores não são cousas, são nomes.

Tristes das almas humanas, que põem tudo em ordem,
Que traçam linhas de cousa a cousa,
Que põem letreiros com nomes nas árvores absolutamente reais,
E desenham paralelos de latitude e longitude
Sobre a própria terra inocente e mais verde e florida do que isso!

XLVI

Deste modo ou daquele modo,
Conforme calha ou não calha,
Podendo às vezes dizer o que penso,
E outras vezes dizendo-o mal e com misturas,
Vou escrevendo os meus versos sem querer,
Como se escrever não fosse uma cousa feita de gestos,
Como se escrever fosse uma cousa que me acontecesse
Como dar-me o sol de fora.

Procuro dizer o que sinto
Sem pensar em que o sinto.
Procuro encostar as palavras à ideia
E não precisar dum corredor
Do pensamento para as palavras.

Nem sempre consigo sentir o que sei que devo sentir.
O meu pensamento só muito devagar atravessa o rio a nado
Porque lhe pesa o fato que os homens o fizeram usar.

Procuro despir-me do que aprendi,
Procuro esquecer-me do modo de lembrar que me ensinaram,
E raspar a tinta com que me pintaram os sentidos,
Desencaixotar as minhas emoções verdadeiras,
Desembrulhar-me e ser eu, não Alberto Caeiro,
Mas um animal humano que a Natureza produziu.

E assim escrevo, querendo sentir a Natureza, nem sequer como um homem,
Mas como quem sente a Natureza, e mais nada.

E assim escrevo, ora bem, ora mal,
Ora acertando com o que quero dizer, ora errando,
Caindo aqui, levantando-me acolá,
Mas indo sempre no meu caminho como um cego teimoso.

Ainda assim, sou alguém.
Sou o Descobridor da Natureza.
Sou o Argonauta das sensações verdadeiras.
Trago ao Universo um novo Universo
Porque trago ao Universo ele-próprio.

Isto sinto e isto escrevo
Perfeitamente sabedor e sem que não veja
Que são cinco horas do amanhecer
E que o sol, que ainda não mostrou a cabeça
Por cima do muro do horizonte,
Ainda assim já se lhe vêem as pontas dos dedos
Agarrando o cimo do muro
Do horizonte cheio de montes baixos.

XLVII

Num dia excessivamente nítido,
Dia em que dava a vontade de ter trabalhado muito
Para nele não trabalhar nada,
Entrevi, como uma estrada por entre as árvores,
O que talvez seja o Grande Segredo,
Aquele Grande Mistério de que os poetas falsos falam.

Vi que não há Natureza,
Que Natureza não existe,
Que há montes, vales, planícies,
Que há árvores, flores, ervas,
Que há rios e pedras,
Mas que não há um todo a que isso pertença,
Que um conjunto real e verdadeiro
É uma doença das nossas ideias.

A Natureza é partes sem um todo.
Isto é talvez o tal mistério de que falam.

Foi isto o que sem pensar nem parar,
Acertei que devia ser a verdade
Que todos andam a achar e que não acham,
E que só eu, porque a não fui achar, achei.

XLVIII

Da mais alta janela da minha casa
Com um lenço branco digo adeus
Aos meus versos que partem para a humanidade.

E não estou alegre nem triste.
Esse é o destino dos versos.
Escrevi-os e devo mostrá-los a todos
Porque não posso fazer o contrário
Como a flor não pode esconder a cor,

Nem o rio esconder que corre,
Nem a árvore esconder que dá fruto.

Ei-los que vão já longe como que na diligência
E eu sem querer sinto pena
Como uma dor no corpo.

Quem sabe quem os lerá?
Quem sabe a que mãos irão?
Flor, colheu-me o meu destino para os olhos.
Árvore, arrancaram-me os frutos para as bocas.
Rio, o destino da minha água era não ficar em mim.
Submeto-me e sinto-me quasi alegre,
Quasi alegre como quem se cansa de estar triste.

Ide, ide de mim!
Passa a árvore e fica dispersa pela Natureza.
Murcha a flor e o seu pó dura sempre.
Corre o rio e entra no mar e a sua água é sempre a que foi sua.

Passo e fico, como o Universo.

XLIX

Meto-me para dentro, e fecho a janela.
Trazem o candeeiro e dão as boas-noites,
E a minha voz contente dá as boas-noites.
Oxalá a minha vida seja sempre isto:
O dia cheio de sol, ou suave de chuva,

Ou tempestuoso como se acabasse o mundo,
A tarde suave e os ranchos que passam
Fitados com interesse da janela,
O último olhar amigo dado ao sossego das árvores,
E depois, fechada a janela, o candeeiro aceso,
Sem ler nada, nem pensar em nada, nem dormir,
Sentir a vida correr por mim como um rio por seu leito,
E lá fora um grande silêncio como um deus que dorme.

DOS «POEMAS INCONJUNTOS»
(1913-1915)

Não basta abrir a janela
Para ver os campos e o rio.
Não é bastante não ser cego
Para ver as árvores e as flores.
É preciso também não ter filosofia nenhuma.
Com filosofia não há árvores: há ideias apenas.
Há só cada um de nós, como uma cave.
Há só uma janela fechada, e todo o mundo lá fora;
E um sonho do que se poderia ver se a janela se abrisse,
Que nunca é o que se vê quando se abre a janela.

*

Falas de civilização, e de não dever ser,
Ou de não dever ser assim.
Dizes que todos sofrem, ou a maioria de todos,
Com as cousas humanas postas desta maneira.
Dizes que se fossem diferentes, sofreriam menos.
Dizes que se fossem como tu queres, seria melhor.
Escuto sem te ouvir.
Para que te quereria eu ouvir?
Ouvindo-te nada ficaria sabendo.
Se as cousas fossem diferentes, seriam diferentes: eis tudo.

Se as cousas fossem como tu queres, seriam só como tu queres.
Ai de ti e de todos que levam a vida
A querer inventar a máquina de fazer felicidade!

*

Entre o que vejo de um campo e o que vejo de outro campo
Passa um momento uma figura de homem.
Os seus passos vão com «ele» na mesma realidade,
Mas eu reparo para ele e para eles, e são duas cousas:
O «homem» vai andando com as suas ideias, falso e estrangeiro,
E os passos vão com o sistema antigo que faz pernas andar.
Olho-o de longe sem opinião nenhuma.
Que perfeito que é nele o que ele é – o seu corpo,
A sua verdadeira realidade que não tem desejos nem esperanças,
Mas músculos e a maneira certa e impessoal de os usar.

*

Criança desconhecida e suja brincando à minha porta,
Não te pergunto se me trazes um recado dos símbolos.
Acho-te graça por nunca te ter visto antes,
E naturalmente se pudesses estar limpa eras outra criança,
Nem aqui vinhas.
Brinca na poeira, brinca!
Aprecio a tua presença só com os olhos.
Vale mais a pena ver uma cousa sempre pela primeira vez que conhecê-la,

Porque conhecer é como nunca ter visto pela primeira vez,
E nunca ter visto pela primeira vez é só ter ouvido contar.

O modo como esta criança está suja é diferente do modo como as outras
                                                    estão sujas.
Brinca! Pegando numa pedra que te cabe na mão,
Sabes que te cabe na mão.
Qual é a filosofia que chega a uma certeza maior?
Nenhuma, e nenhuma pode vir brincar nunca à minha porta.

                              *

Verdade, mentira, certeza, incerteza...
Aquele cego ali na estrada também conhece estas palavras.
Estou sentado num degrau alto e tenho as mãos apertadas
Sobre o mais alto dos joelhos cruzados.
Bem: verdade, mentira, certeza, incerteza o que são?
O cego pára na estrada,
Desliguei as mãos de cima do joelho.
Verdade, mentira, certeza, incerteza são as mesmas?
Qualquer cousa mudou numa parte da realidade – os meus joelhos e as
                                                    minhas mãos.
Qual é a ciência que tem conhecimento para isto?
O cego continua o seu caminho e eu não faço mais gestos.
Já não é a mesma hora, nem a mesma gente, nem nada igual.
Ser real é isto.

                              *

Uma gargalhada de rapariga soa do ar da estrada.
Riu do que disse quem não vejo.
Lembro-me já que ouvi.
Mas se me falarem agora de uma gargalhada de rapariga da estrada,
Direi: não, os montes, as terras ao sol, o sol, a casa aqui,
E eu que só oiço o ruído calado do sangue que há na minha vida dos dois
lados da cabeça.

*

Noite de S. João para além do muro do meu quintal.
Do lado de cá, eu sem noite de S. João.
Porque há S. João onde o festejam.
Para mim há uma sombra de luz de fogueiras na noite,
Um ruído de gargalhadas, os baques dos saltos.
E um grito casual de quem não sabe que eu existo.

*

Ontem o pregador de verdades dele
Falou outra vez comigo.
Falou do sofrimento das classes que trabalham
(Não do das pessoas que sofrem, que é afinal quem sofre).
Falou da injustiça de uns terem dinheiro,
E de outros terem fome, que não sei se é fome de comer,

Ou se é só fome da sobremesa alheia.
Falou de tudo quanto pudesse fazê-lo zangar-se.

Que feliz deve ser quem pode pensar na infelicidade dos outros!
Que estúpido se não sabe que a infelicidade dos outros é deles,
E não se cura de fora,
Porque sofrer não é ter falta de tinta
Ou o caixote não ter aros de ferro!

Haver injustiça é como haver morte.
Eu nunca daria um passo para alterar
Aquilo a que chamam a injustiça do mundo.
Mil passos que desse para isso
Eram só mil passos.
Aceito a injustiça como aceito uma pedra não ser redonda,
E um sobreiro não ter nascido pinheiro ou carvalho.

Cortei a laranja em duas, e as duas partes não podiam ficar iguais.
Para qual fui injusto – eu, que as vou comer a ambas?

*

Tu, místico, vês uma significação em todas as cousas.
Para ti tudo tem um sentido velado.
Há uma cousa oculta em cada cousa que vês.
O que vês, vê-lo sempre para veres outra cousa.

Para mim, graças a ter olhos só para ver,
Eu vejo ausência de significação em todas as cousas;
Vejo-o e amo-me, porque ser uma cousa é não significar nada.
Ser uma cousa é não ser susceptível de interpretação.

*

Pastor do monte, tão longe de mim com as tuas ovelhas –
Que felicidade é essa que pareces ter – a tua ou a minha?
A paz que sinto quando te vejo, pertence-me, ou pertence-te?
Não, nem a ti nem a mim, pastor.
Pertence só à felicidade e à paz.
Nem tu a tens, porque não sabes que a tens.
Nem eu a tenho, porque sei que a tenho.
Ela é ela só, e cai sobre nós como o sol,
Que te bate nas costas e te aquece, e tu pensas noutra cousa indiferentemente,
E me bate na cara e me ofusca, e eu só penso no sol.

*

Dizes-me: tu és mais alguma cousa
Que uma pedra ou uma planta.
Dizes-me: sentes, pensas e sabes
Que pensas e sentes.
Então as pedras escrevem versos?
Então as plantas têm ideias sobre o mundo?

Sim: há diferença.
Mas não é a diferença que encontras;
Porque o ter consciência não me obriga a ter teorias sobre as cousas:
Só me obriga a ser consciente.

Se sou mais que uma pedra ou uma planta? Não sei.
Sou diferente. Não sei o que é mais ou menos.

Ter consciência é mais que ter cor?
Pode ser e pode não ser.
Sei que é diferente apenas.
Ninguém pode provar que é mais que só diferente.

Sei que a pedra é real, e que a planta existe.
Sei isto porque elas existem.
Sei isto porque os meus sentidos mo mostram.
Sei que sou real também.
Sei isto porque os meus sentidos mo mostram,
Embora com menos clareza que me mostram a pedra e a planta.
Não sei mais nada.

Sim, escrevo versos, e a pedra não escreve versos.
Sim, faço ideias sobre o mundo, e a planta nenhumas.
Mas é que as pedras não são poetas, são pedras;
E as plantas são plantas só, e não pensadores.
Tanto posso dizer que sou superior a elas por isto,
Como que sou inferior.
Mas não digo isso: digo da pedra, «é uma pedra»,
Digo da planta, «é uma planta»,

Digo de mim, «sou eu».
E não digo mais nada. Que mais há a dizer?

*

A espantosa realidade das coisas
É a minha descoberta de todos os dias.
Cada coisa é o que é,
E é difícil explicar a alguém quanto isso me alegra,
E quanto isso me basta.

Basta existir para se ser completo.

Tenho escrito bastantes poemas.
Hei-de escrever muitos mais, naturalmente.
Cada poema meu diz isto,
E todos os meus poemas são diferentes,
Porque cada coisa que há é uma maneira de dizer isto.

Às vezes ponho-me a olhar para uma pedra.
Não me ponho a pensar se ela sente.
Não me perco a chamar-lhe minha irmã.
Mas gosto dela por ela ser uma pedra,
Gosto dela porque ela não sente nada,
Gosto dela porque ela não tem parentesco nenhum comigo.

Outras vezes oiço passar o vento,
E acho que só para ouvir passar o vento vale a pena ter nascido.

Eu não sei o que é que os outros pensarão lendo isto;
Mas acho que isto deve estar bem porque o penso sem esforço,
Nem ideia de outras pessoas a ouvir-me pensar;
Porque o penso sem pensamentos,
Porque o digo como as minhas palavras o dizem.

Uma vez chamaram-me poeta materialista,
E eu admirei-me, porque não julgava
Que se me pudesse chamar qualquer coisa.
Eu nem sequer sou poeta: vejo.
Se o que escrevo tem valor, não sou eu que o tenho:
O valor está ali, nos meus versos.
Tudo isso é absolutamente independente da minha vontade.

*

Quando tornar a vir a primavera
Talvez já não me encontre no mundo.
Gostava agora de poder julgar que a primavera é gente
Para poder supor que ela choraria,
Vendo que perdera o seu único amigo.
Mas a primavera nem sequer é uma coisa:
É uma maneira de dizer.
Nem mesmo as flores tornam, ou as folhas verdes.
Há novas flores, novas folhas verdes.
Há outros dias suaves.
Nada torna, nada se repete, porque tudo é real.

*

Se eu morrer novo,
Sem poder publicar livro nenhum,
Sem ver a cara que têm os meus versos em letra impressa,
Peço que, se se quiserem ralar por minha causa,
Que não se ralem.
Se assim aconteceu, assim está certo.

Mesmo que os meus versos nunca sejam impressos,
Eles lá terão a sua beleza, se forem belos.
Mas eles não podem ser belos e ficar por imprimir,
Porque as raízes podem estar debaixo da terra
Mas as flores florescem ao ar livre e à vista.
Tem que ser assim por força. Nada o pode impedir.

Se eu morrer muito novo, oiçam isto:
Nunca fui senão uma criança que brincava.
Fui gentio como o sol e a água,
De uma religião universal que só os homens não têm.
Fui feliz porque não pedi coisa nenhuma,
Nem procurei achar nada,
Nem achei que houvesse mais explicação
Que a palavra explicação não ter sentido nenhum.

Não desejei senão estar ao sol ou à chuva –
Ao sol quando havia sol
E à chuva quando estava chovendo
(E nunca a outra coisa),

Sentir calor e frio e vento,
E não ir mais longe.

Uma vez amei, julguei que me amariam,
Mas não fui amado.
Não fui amado pela única grande razão –
Porque não tinha que ser.

Consolei-me voltando ao sol e à chuva,
E sentando-me outra vez à porta de casa.
Os campos, afinal, não são tão verdes para os que são amados
Como para os que o não são.
Sentir é estar distraído.

*

Quando vier a primavera,
Se eu já estiver morto,
As flores florirão da mesma maneira
E as árvores não serão menos verdes que na primavera passada.
A realidade não precisa de mim.

Sinto uma alegria enorme
Ao pensar que a minha morte não tem importância nenhuma.

Se soubesse que amanhã morria
E a primavera era depois de amanhã,
Morreria contente, porque ela era depois de amanhã.
Se esse é o seu tempo, quando havia ela de vir senão no seu tempo?

Gosto que tudo seja real e que tudo esteja certo;
E gosto porque assim seria, mesmo que eu não gostasse.
Por isso, se morrer agora, morro contente,
Porque tudo é real e tudo está certo.

Podem rezar latim sobre o meu caixão, se quiserem.
Se quiserem, podem dançar e cantar à roda dele.
Não tenho preferências para quando já não puder ter preferências.
O que for, quando for, é que será o que é.

*

Se, depois de eu morrer, quiserem escrever a minha biografia,
Não há nada mais simples.
Tem só duas datas – a da minha nascença e a da minha morte.
Entre uma e outra cousa todos os dias são meus.

Sou fácil de definir.
Vi como um danado.
Amei as coisas sem sentimentalidade nenhuma.
Nunca tive um desejo que não pudesse realizar, porque nunca ceguei.
Mesmo ouvir nunca foi para mim senão um acompanhamento de ver.
Compreendi que as coisas são reais e todas diferentes umas das outras;
Compreendi isto com os olhos, nunca com o pensamento.
Compreender isto com o pensamento seria achá-las todas iguais.

Um dia deu-me o sono como a qualquer criança.
Fechei os olhos e dormi.
Além disso, fui o único poeta da Natureza.

O OITAVO POEMA DE
«O GUARDADOR DE REBANHOS»

Num meio-dia de fim de primavera
Tive um sonho como uma fotografia.
Vi Jesus Cristo descer à terra.

Veio pela encosta de um monte
Tornado outra vez menino,
A correr e a rolar-se pela erva
E a arrancar flores para as deitar fora
E a rir de modo a ouvir-se de longe.

Tinha fugido do céu.
Era nosso de mais para fingir
De segunda pessoa da trindade.
No céu era tudo falso, tudo em desacordo
Com flores e árvores e pedras.
No céu tinha que estar sempre sério
E de vez em quando de se tornar outra vez homem
E subir para a cruz, e estar sempre a morrer
Com uma coroa toda à roda de espinhos
E os pés espetados por um prego com cabeça,
E até com um trapo à roda da cintura
Como os pretos nas ilustrações.
Nem sequer o deixavam ter pai e mãe
Como as outras crianças.
O seu pai era duas pessoas –
Um velho chamado José, que era carpinteiro,
E que não era pai dele;

E o outro pai era uma pomba estúpida,
A única pomba feia do mundo
Porque não era do mundo nem era pomba.
E a sua mãe não tinha amado antes de o ter.
Não era mulher: era uma mala
Em que ele tinha vindo do céu.
E queriam que ele, que só nascera da mãe,
E nunca tivera pai para amar com respeito,
Pregasse a bondade e a justiça!

Um dia que Deus estava a dormir
E o Espírito-Santo andava a voar,
Ele foi à caixa dos milagres e roubou três.
Com o primeiro fez que ninguém soubesse que ele tinha fugido.
Com o segundo criou-se eternamente humano e menino.
Com o terceiro criou um Cristo eternamente na cruz
E deixou-o pregado na cruz que há no céu
E serve de modelo às outras.
Depois fugiu para o sol
E desceu pelo primeiro raio que apanhou.

Hoje vive na minha aldeia comigo.
É uma criança bonita de riso e natural.
Limpa o nariz ao braço direito,
Chapinha nas poças de água,
Colhe as flores e gosta delas e esquece-as.
Atira pedras aos burros,
Rouba a fruta dos pomares
E foge a chorar e a gritar dos cães.
E, porque sabe que elas não gostam
E que toda a gente acha graça,
Corre atrás das raparigas

Que vão em ranchos pelas estradas
Com as bilhas às cabeças
E levanta-lhes as saias.

A mim ensinou-me tudo.
Ensinou-me a olhar para as coisas.
Aponta-me todas as coisas que há nas flores.
Mostra-me como as pedras são engraçadas
Quando a gente as tem na mão
E olha devagar para elas.

Diz-me muito mal de Deus.
Diz que ele é um velho estúpido e doente,
Sempre a escarrar no chão
E a dizer indecências.
A Virgem-Maria leva as tardes da eternidade a fazer meia.
E o Espírito-Santo coça-se com o bico
E empoleira-se nas cadeiras e suja-as.
Tudo no céu é estúpido como a Igreja Católica.
Diz-me que Deus não percebe nada
Das coisas que criou –
«Se é que ele as criou, do que duvido» –.
«Ele diz, por exemplo, que os seres cantam a sua glória,
Mas os seres não cantam nada.
Se cantassem seriam cantores.
Os seres existem e mais nada,
E por isso se chamam seres».

E depois, cansado de dizer mal de Deus,
O Menino Jesus adormece nos meus braços
E eu levo-o ao colo para casa.

Ele mora comigo na minha casa a meio do outeiro.
Ele é a Eterna Criança, o deus que faltava.
Ele é o humano que é natural,
Ele é o divino que sorri e que brinca.
E por isso é que eu sei com toda a certeza
Que ele é o Menino Jesus verdadeiro.

E a criança tão humana que é divina
É esta minha quotidiana vida de poeta,
E é porque ele anda sempre comigo que eu sou poeta sempre,
E que o meu mínimo olhar
Me enche de sensação,
E o mais pequeno som, seja do que for,
Parece falar comigo.

A Criança Nova que habita onde vivo
Dá-me uma mão a mim
E a outra a tudo que existe
E assim vamos os três pelo caminho que houver,
Saltando e cantando e rindo
E gozando o nosso segredo comum
Que é o de saber por toda a parte
Que não há mistério no mundo
E que tudo vale a pena.

A Criança Eterna acompanha-me sempre.
A direcção do meu olhar é o seu dedo apontando.
O meu ouvido atento alegremente a todos os sons
São as cócegas que ele me faz, brincando, nas orelhas.

Damo-nos tão bem um com o outro
Na companhia de tudo
Que nunca pensamos um no outro,
Mas vivemos juntos e dois
Com um acordo íntimo
Como a mão direita e a esquerda.

Ao anoitecer brincamos as cinco pedrinhas
No degrau da porta de casa,
Graves como convém a um deus e a um poeta,
E como se cada pedra
Fosse todo um universo
E fosse por isso um grande perigo para ela
Deixá-la cair ao chão.

Depois eu conto-lhe histórias das coisas só dos homens
E ele sorri, porque tudo é incrível.
Ri dos reis e dos que não são reis,
E tem pena de ouvir falar das guerras,
E dos comércios, e dos navios
Que ficam fumo no ar dos altos mares.
Porque ele sabe que tudo isso falta àquela verdade
Que uma flor tem ao florescer
E que anda com a luz do sol
A variar os montes e os vales
E a fazer doer aos olhos os muros caiados.

Depois ele adormece e eu deito-o.
Levo-o ao colo para dentro de casa
E deito-o, despindo-o lentamente

E como seguindo um ritual muito limpo
E todo materno até ele estar nu.

Ele dorme dentro da minha alma
E às vezes acorda de noite
E brinca com os meus sonhos.
Vira uns de pernas para o ar,
Põe uns em cima dos outros
E bate as palmas sozinho
Sorrindo para o meu sono.

....

Quando eu morrer, filhinho,
Seja eu a criança, o mais pequeno.
Pega-me tu ao colo
E leva-me para dentro da tua casa.
Despe o meu ser cansado e humano
E deita-me na tua cama.
E conta-me histórias, caso eu acorde,
Para eu tornar a adormecer.
E dá-me sonhos teus para eu brincar
Até que nasça qualquer dia
Que tu sabes qual é.

....

Esta é a história do meu Menino Jesus.
Porque razão que se perceba
Não há-de ser ela mais verdadeira
Que tudo quanto os filósofos pensam
E tudo quanto as religiões ensinam?

O PENÚLTIMO POEMA

Também sei fazer conjecturas.
Há em cada coisa aquilo que ela é que a anima.
Na planta está por fora e é uma ninfa pequena.
No animal é um ser interior longínquo.
No homem é a alma que vive com ele e é já ele.
Nos deuses tem o mesmo tamanho
E o mesmo espaço que o corpo
E é a mesma coisa que o corpo.
Por isso se diz que os deuses nunca morrem.
Pór isso os deuses não têm corpo e alma
Mas só corpo e são perfeitos.
O corpo é que lhes é alma
E têm a consciência na própria carne divina.

NOTAS

FERNANDO PESSOA

p. 9   *Impressões do Crepúsculo*
Sai no número único da revista *A Renascença*, em Fevereiro de 1914. O primeiro dos poemas, «Ó sino da minha aldeia», é republicado em *Athena* 3, onde tem variantes (v. 10: «Quando passo triste e errante»; v. 12: «Soas-me sempre distante»), e mantém-se aqui para o título deste díptico fazer sentido.

p. 11   *Chuva Oblíqua. Poemas Interseccionistas*
Sai no *Orpheu* 2, em Junho de 1915. O título vem numa folha divisória, seguido de «Poemas Interseccionistas / de / Fernando Pessoa».

p. 17   *Hora Absurda*
Sai em *Exílio*, número único, Abril de 1916.

p. 22   *Passos da Cruz*
Sai em *Centauro*, número único, Dezembro de 1916. O soneto XII, «Ela ia, tranquila pastorinha», tem uma ulterior publicação em *O «Notícias» Ilustrado* de 28 de Abril de 1929, sem variantes. Mantém-se aqui para manter íntegra esta série.

p. 32   *A Casa Branca Nau Preta*
Sai no suplemento «Futurismo» do jornal de Faro *O Heraldo*, de 1 de Julho de 1917. Vem assinado: «Fernando Pessoa. / Director de *Orpheu*».

p. 35   *Além-Deus*
Os poemas de *Orpheu* 3 – apesar deste número da revista não ter chegado a sair, como previsto, em Outubro de 1917 – conservam-se em provas de página já apuradas para publicação (aqui transcritas da edição fac-similada *Orpheu* 3, apresentada por José Augusto Seabra, Porto, Nova Renascença, 1983).
O último poema da série, *Braço Sem Corpo Brandindo um Gládio*, estabelece nexo textual com o poema *Gládio*, que antecede *Além-Deus* no *Orpheu* 3, mas que não se inclui aqui por ter vindo a integrar *Mensagem*, com variantes e sob o título *D. Fernando, Infante de Portugal*.

p. 39　*Episódios*
Sai no número único de *Portugal Futurista*, distribuido em Novembro de 1917 e logo apreendido pela polícia. *Pierrot Bêbado* é publicado em 1928 no *Almanaque de las Artes y las Letras para 1928*, em Madrid.

p. 49　*Abdicação*
Sai em *Ressurreição* 9, de 1 de Fevereiro de 1920.

p. 50　*À Memória do Presidente-Rei Sidónio Pais*
Este poema, sob o título, *À Memória do Presidente Sidónio Pais*, sai no jornal *Acção* 4, de 27 de Fevereiro de 1920, último número de uma publicação que se apresenta como órgão do Núcleo de Acção Nacional e é dirigida por Geraldo Coelho de Jesus (o editorial do mesmo número, assinado pelo director, é intitulado «Sidonismo, Sim»). Transcrevo a partir de um exemplar do jornal conservado no espólio de Pessoa (E3) da Biblioteca Nacional, em que se encontram, manuscritas, duas anotações. Uma corrige uma gralha na 13.ª quadra a contar do fim: onde estava «se sentiu» passa a ler-se «se seguiu». A outra acrescenta, unindo-os por um hífen, «*Rei*» a «*Presidente*». É assim que o título figura já numa edição em folheto publicada pela Editorial Império em 1940.

p. 60　*Natal* («Nasce um deus. Outros morrem. A Verdade»)
Sai na *Contemporânea* 6, de Dezembro de 1922. Um outro poema com o mesmo título («Natal. Na província neva.») será publicado em 1928 e republicado em 1934 no *Diário de Lisboa*.

p. 61　*Canção* («Silfos ou gnomos tocam?...»)
Sai em *Folhas de Arte* 1, de 1924, revista dirigida por Augusto Santa-Rita, em fac-símile do manuscrito. O mesmo poema, enviado a Armando Côrtes-Rodrigues em 1915, tinha uma variante no primeiro verso: «Elfos ou gnomos tocam?...» (*Cartas a Armando Côrtes-Rodrigues*, 3.ª ed., Lisboa, Horizonte, 1985, p. 49). Há um outro poema intitulado *Canção* («Sol nulo dos dias vãos»): publicado em 1922, retomado em 1924 e em 1930.

p. 62　*Alguns Poemas*
Sai em *Athena* 3, de Dezembro de 1924, com dois poemas a abrir, *Sacadura Cabral* e *Gládio*, mais um conjunto de catorze poemas sob o título genérico *De um Cancioneiro*. Retira-se *Gládio* (que já teria saído em *Orpheu* 3 e voltará a sair em *Cancioneiro* em 1930) por se integrar em *Mensagem* em 1934.

p. 62   *De um Cancioneiro*

Ao contrário de *Impressões do Crepúsculo* ou de *Passos da Cruz*, que constituem todos coerentes, este subconjunto é uma recolha de poemas soltos. Isso mesmo é marcado pelo seu título, e pelo facto de não conter números a ordenar os poemas. Assim, podem não figurar neste conjunto: um poema republicado, «Ó sino da minha aldeia», pelas razões atrás expostas; e «Sol nulo dos dias vãos», já publicado solto em 1922, por vir a reaparecer em 1930 sob o mesmo título *Canção*. Em contrapartida, são mantidos neste conjunto dois poemas nele republicados: «No entardecer da terra», que saíra antes na *Ilustração Portuguesa* de 28 de Janeiro de 1922, com o título *Canção de Outono* e sem outras variantes; e «Ela canta, pobre ceifeira», já publicado em *Terra Nossa* 3, de Setembro de 1916, com o título *A Ceifeira*. Este último, que faz parte também dos poemas enviados a Armando Côrtes-Rodrigues em 1915, é dos que vai sofrendo mais transformações: em 1915 tem oito quadras, mas em *Terra Nossa* perde uma, a antepenúltima (cito pela edição de Joel Serrão das *Cartas a Armando Côrtes-Rodrigues*, 3.ª ed., Lisboa, Horizonte, 1985, p. 55),

> Canta e arrasta-me p'ra ti,
> P'ra o centro ignoto da tua alma,
> E que um momento eu sinta em mim
> O eco da tua alada calma...

E na *Athena* perde outra ainda, a quarta:

> Ah, com tão límpida pureza
> A sua voz entra no azul
> Que em nós sorri quanto é tristeza
> E a vida sabe a amor e a sul!

Além disso, o verso «O que em mim sente stá pensando» vem em *Athena* substituir «O que em mim ouve está chorando» de *Terra Nossa*.

p. 72   *Rubaiyat*

Sai na *Contemporânea*, 3.ª série, n.º 2, de Julho-Outubro de 1926. As três quadras são autónomas embora apareçam juntas, à maneira da tradução com este título que Edward FitzGerald publica em Inglaterra, em 1859, do poeta persa do século XII Omar Khayyam.

p. 73   *Anti-Gazetilha*

Sai no jornal *Sol* de 13 de Novembro de 1926, numa secção intitulada «Gazetilha».

253

p. 74   *O Avô e o Neto*
Poema encontrado por Everardo Alves Nobre no *Thesouro da Juventude*, uma enciclopédia editada no Rio de Janeiro que oferece conhecimentos «em forma adequa-
da para o proveito e entretenimento dos meninos», sem data, mas situável entre 1925
e 1928. A lição publicada tem o título *Meditações do Avô e Brinquedos do Neto*, pare-
cendo claro ter havido intervenção por parte do editor brasileiro, não só nessa mudança do título como na pontuação. Uso, por isso, a versão dactilografada do
poema (espólio da B.N., E3 / 44-37) que parece ser cópia da enviada para publicação. Devo a comunicação desta publicação desconhecida a José Blanco.

pp. 76-8 *Marinha, Qualquer Música..., Depois da Feira*
Saem na *presença*, respectivamente nos números 5, de 4 de Junho de 1927; 10, de
15 de Março de 1928; e 16, de Novembro de 1928.

p. 79   *Tomámos a Vila Depois de um Intenso Bombardeamento*
Sai em O *«Notícias» Ilustrado* de 14 de Julho de 1929, onde vem grafado todo em
maiúsculas.

p. 80   *Canção («Sol nulo dos dias vãos»)*
Sai com este título em 11 de Fevereiro de 1922 na *Ilustração Portuguesa*; repete se
sem título em *De um Cancioneiro*, na *Athena* 3, em Dezembro de 1924, e, enfim,
com título em *Cancioneiro – I Salão dos Independentes*, em Maio de 1930.

p. 81   *O Menino da Sua Mãe*
Sai primeiro na *Contemporânea*, 3.ª série, n.º 1, de Maio de 1926, depois em *O
«Notícias» Ilustrado* de 11 de Novembro de 1928, e ainda em *Cancioneiro – I
Salão dos Independentes*, em Maio de 1930. A única zona de variação situa-se na
quarta estrofe: «dera-lhe» sucede em *Cancioneiro* a «dera-lha», e o verso «E boa a
cigarreira» começa por ter um ponto final, depois reticências, até à vírgula com que
fica.

p. 83   *Gomes Leal*
Sai primeiro em O *«Notícias» Ilustrado* de 28 de Outubro de 1928, e depois em
Cancioneiro – I Salão dos Independentes de Maio de 1930. Nesta última publicação,
muda as reticências em pontos finais nos vv. 3 e 13, e «do espaço» para «no espaço».

p. 84   *O Último Sortilégio*
Sai na *presença* 29, de Dezembro de 1930. Lê-se, a respeito deste poema, na carta de
16 de Outubro de 1930 em que o envia (*Cartas de Fernando Pessoa a João Gaspar*

Simões, 2.ª ed., Lisboa, IN-CM, 1982, p. 50): «Chamo a sua atenção para um pormenor que é preciso vigiar nas provas – o qual pormenor é dois pormenores. Trata-se de não esquecer as aspas que marcam o poema como "dramático", isto é, falado por terceira pessoa, e de verificar que, como essa pessoa é mulher (e, digamos, bruxa), os adjectivos não saiam no masculino onde a pessoa falante se refere a si mesma.»

p. 87   *O Andaime*
         Sai na *presença* 31-32, de Março-Junho de 1931.

p. 89   «Guia-me a só razão»
         Sai em *Descobrimento* 4, Inverno, 1932.

pp. 90-3 *Iniciação, Autopsicografia, Isto*
         Saem na *presença*, nos números, respectivamente: 35, de Março-Maio de 1932; 36, de Novembro de 1932; e 38, de Abril de 1933.

p. 94   *Fresta*
         Sai em *Momento*, 2.ª série, n.º 5, de Março de 1934.

p. 95   *Eros e Psique*
         Sai na *presença* 41-42, de Maio de 1934.

p. 97   *Natal* («Natal. Na província neva»)
         Sai primeiro em *O «Notícias» Ilustrado* de 30 de Dezembro de 1928, e depois no *Diário de Lisboa* de 28 de Dezembro de 1934, com alteração do v. 8: de «Estou só e tenho saudade» para «Por isso tenho saudade».

p. 98   *Intervalo*
         Sai em *Momento*, 2.ª série, n.º 8, de Abril de 1935.

p. 100   *Conselho*
         Sai em *Sudoeste. Cadernos de Almada Negreiros*, 3, de Novembro de 1935.

ÁLVARO DE CAMPOS

p. 103   *Opiário, Ode Triunfal*
         Saem no *Orpheu* 1, em Março de 1915, com um título genérico numa folha divisória: «*Opiário* e *Ode Triunfal* / Duas Composições de / Álvaro de Campos / Publi-

cadas por Fernando Pessoa». A construção em contraste que já aparecera em *Impressões do Crepúsculo* repete-se aqui de certo modo, com um poema que parodia o Simbolismo a anteceder outro em referência ao Futurismo. No final de *Ode Triunfal*, há a menção: «Dum livro chamado *Arco de Triunfo*, a publicar».

p. 111   *Ode Marítima*
Sai no *Orpheu* 2, em Junho de 1915. Com folha divisória onde já não vem o nome de Pessoa: «*Ode Marítima* / por / Álvaro de Campos», e onde figura ainda a dedicatória «a Santa Rita Pintor». No fim, a assinatura «Álvaro de Campos, / Engenheiro».

p. 156   *Soneto já Antigo*
Sai na *Contemporânea* 6, de Dezembro de 1922.

pp. 157-9 *Lisbon Revisited (1923), Lisbon Revisited (1926)*
Saem ambos na *Contemporânea*: no n.º 8, de Fevereiro de 1923, e no n.º 2 da 3.ª série, em Junho de 1926. O primeiro, ao ser publicado, já conhece, prevê e implica a publicação do segundo, pois já nele figura a data como parte integrante do título. No segundo, no verso 7.º a contar do fim, acrescenta-se «como» à versão publicada, em que falta, após confronto com o dactiloscrito (E3 / 70 26). Recupera-se a disposição gráfica do manuscrito reproduzido em fac-símile por Isabel Cadete Novais (*José Régio. Itinerário Fotobiográfico*, Lisboa, IC-CM, 2002, p. 92).

p. 162   *Escrito num Livro Abandonado em Viagem*
Sai na *presença* 10, de 15 de Março de 1928. Tem aí um lapso, «no passado», que deve ser «do passado» (corrigido na edição crítica de Teresa Rita Lopes: Álvaro de Campos, *Livro de Versos*, Lisboa, Estampa, 1993).

p. 163   *Apostila*
Sai em O *«Notícias» Ilustrado* de 27 de Maio de 1928.

pp.165-6 *Gazetilha, Apontamento*
Saem na *presença*, nos números 18, de Janeiro de 1929, e 20, de Abril-Maio de 1929.

p. 168   *A Fernando Pessoa*
Sai em *A Revista* 4, de 1929, propriedade da Solução Editora. O dactiloscrito (E3 / 70 12) traz uma data: 1915.

p. 169 *Quási*
Transcrito a partir da secção «Anexos» da edição fac-similada da *Contemporânea*, vol. IV (Lisboa, Contexto, 1992), onde se incluem as provas de página de um décimo quarto número da revista que deveria sair em 1929.

p. 171 *Adiamento*
Sai em *A Revista* 1, de 1929, da Solução Editora, e de novo em *Cancioneiro – I Salão dos Independentes*, Maio de 1930. Neste, o v. 15, «Amanhã é o dia dos planos», perde o artigo.

p. 173 *Aniversário*
Sai na *presença* 27, de Junho-Julho de 1930. Quando Pessoa envia este poema para publicação, escreve (*Cartas a João Gaspar Simões*, 2.ª ed., Lisboa, IN-CM, 1982, p. 49): «A data está fictícia; escrevi esses versos no dia dos meus anos (de mim), quer dizer, a 13 de Junho, mas o Álvaro nasceu a 15 de Outubro, e assim se erra a data para certa.»

pp. 175-7 *Trapo* e *Ah, um Soneto*
Saem na *presença*, respectivamente, 30, de Janeiro-Fevereiro de 1931, e 34, de Novembro-Fevereiro de 1932.

p. 178 «Quero acabar entre rosas, porque as amei na infância»
Sai em *Descobrimento*, Inverno de 1932.

p. 179 *Tabacaria*
Sai na *presença* 39, de Julho de 1933. Tinha outro título, que é substituído já em provas tipográficas: *Marcha da Derrota*.

RICARDO REIS

p. 189 *Odes. Livro Primeiro*
Série publicada na *Athena* 1, de Outubro de 1924.

pp. 200-5 *Três Odes, Ode, Ode, Duas Odes* e *Ode*
Saem todas na *presença*: *Três Odes* no n.º 6, de 18 de Julho de 1927; as duas odes seguintes («O rastro breve que das ervas moles» e «Já sobre a fronte vã se me acinzenta») lado a lado no n.º 10, de 15 de Março de 1928; as *Duas Odes* no n.º 31-32,

de Março-Junho de 1931; a ode «Para ser grande, sê inteiro: nada», no n.º 37, de Fevereiro de 1933.

ALBERTO CAEIRO

pp. 209-31 *De «O Guardador de Rebanhos»* e *De «Poemas Inconjuntos»*
   Estas duas séries saem nos dois últimos números da *Athena*, 4 e 5, de Janeiro e Fevereiro de 1925. Em ambos os casos, estes títulos são precedidos por: «Escolha de Poemas de / Alberto Caeiro / (1889-1915)».

pp. 243-49 *O Oitavo Poema de «O Guardador de Rebanhos»* e *O Penúltimo Poema*
   Saem em dois números sucessivos da *presença*: no n.º 30, de Janeiro-Fevereiro de 1931, o primeiro, e no n.º 31-32, de Março-Junho de 1931, o segundo.

CRONOLOGIA

1914	Pessoa, *Impressões do Crepúsculo*
1915	Campos, *Opiário*
	Campos, *Ode Triunfal*
	Campos, *Ode Marítima*
	Pessoa, *Chuva Oblíqua. Poemas Interseccionistas*
1916	Pessoa, *Hora Absurda*
	Pessoa, *Passos da Cruz*
1917	Pessoa, *A Casa Branca Nau Preta*
	Pessoa, *Além-Deus*
	Pessoa, *Episódios*
1920	Pessoa, *Abdicação*
	Pessoa, *À Memória do Presidente-Rei Sidónio Pais*
1922	Pessoa, *Natal*
	Campos, *Soneto Já Antigo*
1923	Campos, *Lisbon Revisited (1923)*
1924	Pessoa, *Canção*
	Reis, *Odes. Livro Primeiro*
	Pessoa, *Alguns Poemas*
1925	Caeiro, *De «O Guardador de Rebanhos»*
	Caeiro, *Dos «Poemas Inconjuntos»*
1926	Pessoa, *O Menino da Sua Mãe*
	Campos, *Lisbon Revisited (1926)*
	Pessoa, *Rubaiyat*
	Pessoa, *Anti-Gazetilha*
	Pessoa, *O Avô e o Neto*
1927	Pessoa, *Marinha*
	Reis, *Três Odes*
1928	Pessoa, *Qualquer Música...*
	Reis, *Ode*
	Reis, *Ode*
	Campos, *Escrito num Livro Abandonado em Viagem*

	Campos, *Apostila*
	Pessoa, *Depois da Feira*
1929	Campos, *Gazetilha*
	Campos, *Apontamento*
	Pessoa, *Tomámos a Vila Depois de um Intenso Bombardeamento*
	Campos, *A Fernando Pessoa*
	Campos, *Quási*
1930	Pessoa, *Canção*
	Pessoa, *Gomes Leal*
	Campos, *Adiamento*
	Campos, *Aniversário*
	Pessoa, *O Último Sortilégio*
1931	Caeiro, *O Oitavo Poema de «O Guardador de Rebanhos»*
	Campos, *Trapo*
	Pessoa, *O Andaime*
	Reis, *Duas Odes*
	Caeiro, *O Penúltimo Poema*
1932	Pessoa, «Guia-me a só razão»
	Campos, «Quero acabar entre rosas, porque as amei na infância»
	Campos, *Ah, um Soneto*
	Pessoa, *Iniciação*
	Pessoa, *Autopsicografia*
1933	Reis, *Ode*
	Pessoa, *Isto*
	Campos, *Tabacaria*
1934	Pessoa, *Fresta*
	Pessoa, *Eros e Psique*
	Pessoa, *Natal*
1935	Pessoa, *Intervalo*
	Pessoa, *Conselho*

O MUNDO VERDADEIRO

*Negada a verdade, não temos com que entreter-nos
senão a mentira. Com ela nos entretenhamos, dando-a
porém como tal, que não como verdade; se uma hi-
pótese metafísica nos ocorre, façamos com ela, não a
mentira de um sistema (onde possa ser verdade) mas
a verdade de um poema ou de uma novela – verdade
em saber que é mentira, e assim não mentir.*

Pessoa

A Antologia

Recolhem-se neste volume todos os poemas por Pessoa publicados –
e nele encontramos um Pessoa histórico. Nem «o grande poeta do século
XX», nem «o homem que nunca foi». Apenas o poeta que viveu de 1888 a
1935 e publicou poesia a partir de 1914.

Publicou, afinal, muito, e outro mito é «um poeta que morreu inédito».
Mais verdade será dizer que Pessoa já era um grande poeta em 1935, e
mesmo vários grandes poetas.

Pode, assim, ler-se o que Pessoa quis que fosse lido, e tal como o pre-
parou para a leitura. Eis o que escreve a João Gaspar Simões, numa carta de
17 de Outubro de 1929 em que responde a um pedido de colaboração na
presença: «Sobre poemas inéditos, tenho aproximadamente uma biblioteca
virtual; mas só de aqui a dois meses – conto nesse intervalo ter percorrido
com alguma atenção tudo isso – lhe poderei dizer se há por ali valia que
valha, e, ainda assim, no falso critério do crítico de si mesmo». Esta preocu-
pação da «valia que valha», ligada àquela outra, expressa na carta a Adolfo
Casais Monteiro de 13 de Janeiro de 1935, de fazer uma boa «estreia» de si

em livro, marcam com alusões concretas o que não era difícil de prever: o facto de Pessoa meditar a qualidade e a oportunidade das suas publicações.

Logo, este volume é a sua antologia poética pessoal. O pensado por ele como o melhor dos três heterónimos e do ortónimo. E o que perante os seus leitores pode contar com mais clareza uma história, ou histórias – como a de Álvaro de Campos, que após a entrada triunfal de 1915 reaparece em 1923 transformado numa sombra de si próprio, ou a do próprio Pessoa, que vibra cada vez mais a tecla ocultista.

Só não se inclui uma glosa a mote publicada aos catorze anos em *O Imparcial* de 18 de Julho de 1902, «Teus olhos, contas escuras», que é só uma curiosidade histórica (e se encontra na preciosa *Fotobibliografia de Fernando Pessoa* organizada por João Rui de Sousa). Mas integram-se até os poemas previstos para números não publicados de revista, o *Orpheu 3* ou o décimo quarto número de *Contemporânea*, de que chegaram até nós as provas tipográficas.

O Livro

À imagem de Pessoa e dos seus múltiplos projectos, do mesmo modo Campos remete a *Ode Triunfal* para um livro «a publicar», *Arco de Triunfo* (citado no *Orpheu 1*, 1915). A palavra «livro» também figura num título de Ricardo Reis. Por sua vez, as *plaquettes* de poemas ingleses que Pessoa edita em 1918 e 1921 são como que não-livros: pela não-comunicabilidade buscada com o público português, ou pela busca de comunicação com um público, o inglês, que não conhece. Em 1934, *Mensagem* é, de facto, o seu único livro, e releva de um nível de organização tão minucioso e forte que nele aparece investido um longo e antigo desejo. Um desejo impossível, de um tipo de impossibilidade que ainda não cessou de intrigar: um desejo de livro contra a fragmentação radical que o habita.

Constrói-se, aqui, portanto, um livro que Pessoa não fez. Que nem por isso existe menos, na sua coerência, ou coerências, linhas que unem a sua dispersão por revistas, jornais, publicações colectivas, até uma enciclopédia juvenil.

Neste livro, com evidência, preto no branco, o caminho de Campos mostra o que significa o «drama em gente». Campos ganha um perfil de personagem, cada uma das suas falas é um grito ou um murmúrio, uma *performance*, uma actuação. Campos é o único que assina vinte anos de publicações com o modelo seguido do poema dramático, sem integrar os seus poemas em séries, nem os subdividir em partes, como sucede com os outros três. A aventura de Campos é criada pela sua textura representacional, o seu corpo de letras, o seu teatro de papel, épico e íntimo, e o conjunto das suas dezoito aparições forma uma sequência que é o cerne destas *Ficções* líricas.

Também se pode ver, por exemplo, o papel decisivo que a revista *presença* tem na última fase das publicações de Pessoa: aí Reis e Caeiro publicam todos os seus poemas, passado o momento de *Athena*. Há até números em que poemas dos quatro nomes se encontram reunidos. E a assiduidade da colaboração de Pessoa teria sido ainda maior se tivesse correspondido às solicitações da revista.

O Título

Lê-se na carta a Adolfo Casais Monteiro de 15 de Janeiro de 1935: «Quando às vezes pensava na ordem de uma futura publicação de obras minhas, nunca um livro do género de *Mensagem* figurava em número um. Hesitava entre se deveria começar por um livro de versos grande – um livro de umas 350 páginas –, englobando as várias sub-personalidades de Fernando Pessoa ele-mesmo, ou se deveria abrir com uma novela policiária, que ainda não consegui completar».

Dito assim, esse «livro de versos grande» teria uma ideia de colecção próxima deste que agora se apresenta. E repare-se que é a reformulação, ou simplificação, de uma forma editorial mais completa que Pessoa previra numa carta a João Gaspar Simões de 28 de Julho de 1932: «Não sei se alguma vez lhe disse que os heterónimos (segundo a última intenção que formei a respeito deles) devem ser por mim publicados sob o meu próprio nome (já é tarde, e portanto absurdo, para o disfarce absoluto). Formarão uma série intitulada *Ficções do Interlúdio*, ou outra coisa qualquer que de melhor me ocorra. Assim, o título do primeiro volume seria, pouco mais ou menos: *Fernando Pessoa – Ficções do Interlúdio – I. Poemas Completos de Alberto Caeiro (1889-1915)*. E os seguintes do mesmo modo, incluindo um, curioso mas muito difícil de escrever, que contém o debate estético entre mim, o Ricardo Reis e o Álvaro de Campos, e talvez, ainda, outros heterónimos, pois ainda há um ou outro (incluindo um astrólogo) para aparecer».

Entretanto, o título *Ficções do Interlúdio* não existe apenas nesta carta a João Gaspar Simões. Lê-se, por exemplo, num fragmento póstumo, não datado (*Páginas Íntimas* 105-106): «Há-de o leitor reparar que, embora eu publique [...] o *Livro do Desassossego* como sendo de um tal Bernardo Soares, ajudante de guarda-livros na cidade de Lisboa, o não incluí todavia nestas *Ficções do Interlúdio*. É que Bernardo Soares, distinguindo-se de mim por suas ideias, seus sentimentos, seus modos de ver e de compreender, não se distingue de mim pelo estilo de expor.»

Do que se poderá concluir que o título imaginado por Pessoa serviria para uma edição completa ou antológica dos heterónimos, não se incluindo nela sequer Bernardo Soares, dado que semi-heterónimo apenas. Só que existe outra importante ocorrência do título: Pessoa chama *Ficções do Interlúdio* a um conjunto de poemas assinados pelo ortónimo que dá a imprimir no *Portugal Futurista*.

O título varia, circula, designa objectos vários. Daí a decisão de o manter, e de o ampliar até conter a recolha de toda a poesia ortónima e heterónima publicada.

A este respeito, caberá interrogar o modo de relação entre o ortónimo e os heterónimos.

O Ortónimo

A questão é a homogeneidade textual da poesia de Pessoa. Isto é, o entendimento do que na carta a Adolfo Casais Monteiro de 15 de Janeiro de

1935 traduz pela sua «tendência orgânica e constante para a despersonali-
zação e para a simulação».

Deste modo, podemos definir uma «qualidade heteronímica» do ortónimo. Pessoa escreve na *presença* 17 (Dezembro de 1928): «Se estas três indi-
vidualidades são mais ou menos reais que o próprio Fernando Pessoa – é
problema metafísico, que este, ausente do segredo dos deuses, nunca poderá resolver.» Mas a participação do ortónimo do mesmo sistema poético
dos heterónimos é, para além deste «problema metafísico», um problema
poético, como se lê num outro fragmento (*Páginas Íntimas* 95-96): «A
cada personalidade mais demorada, que o autor destes livros conseguiu
viver dentro de si, ele deu uma índole expressiva, e fez dessa personalidade
um autor, com um livro, ou livros, com as ideias, as emoções, e a arte dos
quais, ele, o autor real (ou porventura aparente, porque não sabemos o
que seja a realidade), nada tem, salvo o ter sido, no escrevê-las, o médium
de figuras que ele próprio criou.» Ou, mais claramente ainda, na mesma
página: «O autor humano destes livros não conhece em si próprio personalidade nenhuma», nem tem existência poética exterior ao mecanismo do
seu desdobramento em outros, «escravo como é da multiplicidade de si
próprio». Voa outro, eis tudo, sempre que escreve. Mesmo quando escreve em seu próprio nome.

Jorge de Sena repetiu esta fundamental ideia do ortónimo ser como
um outro heterónimo ao longo da sua produção crítica sobre Pessoa. E é
talvez esta uma das banalidades de base que melhor podem revelar a complexidade da obra de Pessoa. E perturbar.

O Fingimento

A palavra «ficções» do título refere, em primeiro lugar, os heterónimos
(e o ortónimo) como existências imaginárias (que os seus textos tornam
reais enquanto autores literários). Mas há outros sentidos na palavra. Um
deles é este, esclarecido num fragmento sem data, com a indicação «em pre-

fácio às *Ficções do Interlúdio*» (*Pessoa por Conhecer* 114): «Negada a verdade, não temos com que entreter-nos senão a mentira. Com ela nos entretenhamos, dando-a porém como tal, que não como verdade».

Por outras palavras, no interlúdio que é gerado pela interrupção da luz projectada pela verdade, a transformação da «mentira» em «ficção» dá lugar a uma afirmação do autor como actor representando papéis.

A palavra que pode cifrar a importância que Pessoa dá às ficções – e a ela etimologicamente ligada – é «fingimento». É um conceito que desenvolve a partir do início da publicação da *presença*, sobretudo, e como que por reacção à temática, obsessiva nos presencistas, da sinceridade. O fingimento há-de ter em poemas a sua tematização (Pessoa, «O poeta é um fingidor», ou Reis, «finge sem fingimento») ou em prosas (Campos, «fingir é conhecer-se», ou Soares, «fingir é amar»), e vai ser também formulado em cartas a Gaspar Simões ou a Adolfo Rocha. A ideia central é: o que interessa em arte não é a sensibilidade, mas o uso que se faz da sensibilidade. Não o poema de uma verdade, mas a verdade de um poema.

Talvez o texto em que de forma mais evidente expõe o que quer dizer seja *Nota ao Acaso*, assinado por Álvaro de Campos em *Sudoeste* 3, de 1935. Aí, «fingimento» é traduzido pela expressão «sinceridade intelectual»: «A maioria da gente sente convencionalmente, embora com a maior sinceridade humana; o que não sente é com qualquer espécie ou grau de sinceridade intelectual, e essa é que importa no poeta.» E, uma vez concebida esta outra sinceridade que é o fingimento, pode então terminar esse texto com a frase tão clara que ofusca, e quase parece mistificação a seguir a paradoxo: «O meu mestre Caeiro foi o único poeta inteiramente sincero do mundo.»

Pelo que a heteronímia e o fingimento não só não se opõem à sinceridade como se propõem a ficção de um mundo verdadeiro.

REFERÊNCIAS

Cartas de Fernando Pessoa a João Gaspar Simões, 2.ª ed., Lisboa, IN-CM, 1982.

Fernando Pessoa, *Páginas Íntimas e de Auto-Interpretação*, ed. de Georg Rudolf Lind e Jacinto do Prado Coelho, Lisboa, Ática, 1966.

Fernando Pessoa, *Textos de Crítica e de Intervenção*, Lisboa, Ática, 1980.

José Blanco, *Fernando Pessoa. Esboço de uma Bibliografia*, Lisboa, IN-CM, 1983.

Teresa Rita Lopes, *Pessoa por Conhecer*, II, Lisboa, Estampa, 1990.

Adolfo Casais Monteiro, *A Poesia de Fernando Pessoa*, ed. de José Blanco, Lisboa, IN--CM, 1985 .

João Rui de Sousa, *Fotobibliografia de Fernando Pessoa*, Lisboa, IN-CM e Biblioteca Nacional, 1988.

ÍNDICE

ÁLVARO DE CAMPOS

RICARDO REIS

ALBERTO CAEIRO

COLECÇÃO
OBRAS DE FERNANDO PESSOA

POESIA INGLESA II
edição e tradução de Luísa Freire

CRÍTICA
edição de Fernando Cabral Martins

HERÓSTRATO E A BUSCA DA IMORTALIDADE
edição de Richard Zenith

QUADRAS
edição de Luísa Freire

POESIA DE ÁLVARO DE CAMPOS
edição de Teresa Rita Lopes

POESIA, RICARDO REIS
edição de Manuela Parreira da Silva

POESIA, ALBERTO CAEIRO
edição de Fernando Cabral Martins e Richard Zenith

PROSA, RICARDO REIS
edição de Manuela Parreira da Silva

POESIA, 1902-1917
edição de Manuela Parreira da Silva,
Ana Maria Freitas e Madalena Dine

POESIA, 1918-1930
edição de Manuela Parreira da Silva,
Ana Maria Freitas e Madalena Dine

POESIA, 1931-1935
edição de Manuela Parreira da Silva,
Ana Maria Freitas e Madalena Dine

QUARESMA, DECIFRADOR – AS NOVELAS POLICIÁRIAS
edição de Ana Maria Freitas